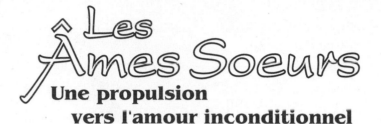

Les Âmes Soeurs
Une propulsion vers l'amour inconditionnel

À Monique

Continuez à répandre
autour de vous l'amour
et la compassion que
vous dégagez si bien !...
Affectueusement
Sylvie

Samsarah international inc.
C.P. 312
Saint-Jean-sur-Richelieu (Québec)
J3B 6Z5
Canada

Aquarelle sur couverture:
Véronique Rioux

Graphisme et infographie:
Jean Légaré, Infographie de l'Estrie

Dépôt légal
Bibliothèque nationale du Québec, 1996
Bibliothèque nationale du Canada, 1996
Bibliothèque nationale de Paris, 1996
Library of Congress, Washington DC, 1996

ISBN: 2-921861-04-6
Tous droits réservés pour tous les pays

Imprimé au Canada

Les Âmes Soeurs
Une propulsion vers l'amour inconditionnel

Sylvie Petitpas

auteure

SAMSARAH
INTERNATIONAL

À Alain,
mon âme soeur,
et à toutes les âmes soeurs
de la planète Terre.

REMERCIEMENTS

à Christiane Dumas, pour avoir fait la saisie du manuscrit avec beaucoup de patience et de diligence, à mes lectrices Sarah Diane Pomerleau et Esther Dufour, pour leurs précieux conseils et leur foi en moi, et enfin à Alain, mon âme soeur, sans qui ce livre n'aurait pas existé.

TABLE DES MATIÈRES

PRÉFACE

Les âmes soeurs... en entendant le mot, certains frémissent de Joie... d'autres de peur... Que de questions circulent dans le corps mental de la Terre au sujet des âmes soeurs!

Vais-je enfin rencontrer MON âme soeur? Se pourrait-il que cet homme avec qui je partage ma vie et qui me la rend si difficile soit MON âme soeur? Les entités m'ont dit que cette femme est MON âme soeur... alors pourquoi semble-t-elle s'intéresser à tous sauf à moi? Pourquoi ne me reconnaît-elle pas? Il est enfin arrivé l'homme que j'attendais, MON âme soeur... Mais comment se fait-il qu'il soit homosexuel? Docteur, j'ai trois âmes soeurs... Que dois-je faire?

Vous croyez que vous êtes à l'abri dans votre cocon de sécurité? Que votre couple bien douillet sera épargné? Que ne surgira pas un matin inattendu, au coin d'une rue, celui ou celle qui viendra bouleverser tout dans votre vie, et démolira jusqu'à la dernière de vos croyances sur les relations, sur l'amour, sur l'évolution de l'âme? Vous pourriez vous cacher dans la forêt, sur la plus haute montagne, si vous êtes vraiment destiné à rencontrer l'âme soeur, vous n'y échapperez pas.

Certains disent que nous n'avons qu'un seule âme soeur, qu'il est très rare de la rencontrer et que si la rencontre se produit c'est une véritable bénédiction!

D'autres changent d'âme soeur comme ils changent de chemise et se complaisent dans leur réputation de collectionneurs d'âme soeurs. Quelques-uns accordent une hiérarchie aux âmes soeurs et ne recherchent plus maintenant que l'âme soeur primordiale, appelée aussi la flamme jumelle, la moitié de soi-même. Si cette dernière, Ô combien rarissime! disent-ils, se présente, ils n'en croient ni leurs yeux ni leurs oreilles ou pire... passent à côté sans même la reconnaître.

Les plus Samourai ont une théorie bien différente: l'âme soeur n'est pas à l'extérieur de soi mais bien à l'intérieur. Lorsque l'heureux mariage alchimique se fait en soi entre le Yin et le Yang, il devient alors possible à l'être d'établir une relation libre et autonome avec l'autre qui aura aussi retrouvé cette union intime en soi.

Quoi qu'il en soit, le sujet passionne, questionne et résonne dans nos consciences et dans nos coeurs. L'âme soeur intérieure ou extérieure est bien vivante en cette fin de siècle et de millénaire. La rencontre de l'âme soeur, quelle que soit sa forme et sa durée, est d'abord et avant tout un outil puissant d'évolution, comme vous pourrez le constater dans ce livre. Vous lirez, à travers ce témoignage vivant, votre propre histoire ou celle de quelqu'un que vous connaissez ou allez rencontrer bientôt... si tel est votre choix...

Sarah Diane Pomerleau
L'éditrice

Samsarah International inc.

PROLOGUE

J'ai reçu le message de mon âme d'écrire sur le sujet des âmes soeurs il y a un an déjà. J'ai choisi de le faire en vous racontant cette histoire qui ne relève pas de la fiction mais bien de ma propre expérience terrestre et divine. Ce récit-témoignage n'a pas été écrit dans un but égoïste, il m'a été plutôt difficile de me mettre à nu devant vous, mais bien dans le dessein de servir en aidant quelque peu à la compréhension de ce phénomène croissant en cette fin de siècle : les rencontres d'âmes soeurs.

Le concept d'âme soeur est certes connu dans notre société depuis longtemps mais les années 1980 et encore plus les années 1990 ont vu proliférer ces rencontres dites "d'âmes soeurs". Le sujet fait maintenant partie des conversations courantes et plusieurs personnes consacrent même une bonne partie de leur temps à chercher l'âme soeur quand elle n'a pas déjà été rencontrée.

L'une des définitions de l'âme soeur se lit comme suit : "Se dit d'une personne qui est faite pour en bien comprendre une autre de sexe opposé." Au-delà de cette explication courante qui relève du rêve amoureux que nous avons tous et toutes à l'intérieur de nous et qui nous amène à fabuler sur la personne qui pourrait nous combler, il importe surtout de retenir que l'âme soeur fait appel à la notion d'âme.

Et qu'est-ce que l'âme, me direz-vous. Je n'ai pas la prétention de vous donner une réponse toute faite à cette question qui a été débattue dans de nombreux ouvrages philosophiques, théologiques et autres. Je vous invite simplement à faire silence autour de vous et à l'intérieur de vous quelques instants, pour écouter monter en vous cette petite voix presque inaudible parfois, cette sensation de chaleur, cette émotion qui vous fait venir les larmes aux yeux, cet élan du coeur si puissant qu'il vous donne des ailes, cette intuition que vous avez à propos de telle ou telle chose, cette paix profonde qui semble venir du fond de votre être et toute autre manifestation qui vous appartient en propre. L'âme, pour moi, c'est tout simplement et tout grandement cela. Et si rien ne se manifeste, prolongez le silence ou répétez-le jusqu'à ce que vous entendiez à nouveau la voix de votre âme, cette voix qu'on s'ingénie à faire taire dans notre société qui oublie de valoriser ce qui relève du monde intuitif ou invisible. À l'instar du petit prince de Saint-Exupéry, n'oubliez pas que "l'essentiel est invisible pour les yeux".

L'âme soeur ne vient pas à notre rencontre pour nous aider à acquérir des biens matériels ou à avoir une meilleure reconnaissance sociale, ou encore pour nous apporter la sécurité qui nous placera dans un état stagnant. Elle vient plutôt nous réveiller, nous secouer, nous aider à reconnaître dans le miroir qu'elle nous tend à la fois notre lumière et notre ombre. Elle nous dévoile les faces cachées de notre personnalité et de notre être. De cette façon, elle contribue à nous donner la poussée d'évolution nécessaire pour traverser cette fin de siècle.

Pour ma part, la rencontre de mon âme soeur d'évolution a marqué un point tournant dans ma vie. Elle a agi comme un catalyseur et m'a ainsi propulsée vers ma vie, ma mission, ma place dans l'univers. Cette rencontre a largement contribué à m'ouvrir le coeur et à élargir ma conscience. Elle m'a aidée à commencer l'intégration des principes masculin et féminin à l'intérieur de moi. Elle m'a finalement ramenée à mon "JE SUIS".

Ce n'est pas le fruit du hasard si les âmes soeurs se rencontrent en cette fin de siècle. Cela fait partie de l'orchestration du "grand tout". Nous sommes dans un mouvement d'accélération de croissance, nous avons à nous ajuster à des fréquences vibratoires de plus en plus élevées. L'âme soeur est l'un des outils d'évolution mis à notre disposition par l'Univers. Libre à nous de l'utiliser ou pas. Les âmes soeurs, si elles le choisissent, peuvent grandement contribuer à répandre l'amour et la lumière dans leur environnement immédiat, sur la planète terre et dans l'univers. Lorsqu'elles s'accordent pour servir dans l'amour inconditionnel, les âmes soeurs créent des taux vibratoires élevés qui se multiplient à l'infini.

Avec le recul, ma propre histoire m'a aussi fait comprendre qu'il n'existait pas de véritable séparation. La séparation est une pure illusion. Notre vie se tisse d'une série de liens qui forment une chaîne d'amour ininterrompue dans l'univers. Il existe un espace en nous où le temps s'abolit, où toutes nos vies se vivent en même temps et où la fusion avec la Source s'accomplit. De l'individualité à l'universalité, il n'y a qu'un pas, un petit pas...

Je vous invite à reconnaître l'âme soeur si vous avez le privilège de la rencontrer. Demandez à votre âme de vous donner les signaux. Ne vous attardez pas à la forme, ce serait une erreur. L'âme soeur peut se retrouver dans la compagne ou le compagnon de même sexe, dans l'amie ou l'ami de toujours, dans la rencontre de passage, dans la personne qui balaie le trottoir devant vous, dans l'enfant, dans l'animal de compagnie, dans la fleur que vous cueillez peut-être... Profitez bien de la rencontre pour créer un pont d'amour et de lumière entre vous. L'arc-en-soi créera un arc-en-ciel.

Sylvie Petitpas

3 août 1996

NOTE AUX LECTRICES ET AUX LECTEURS

Tous les extraits commençant les chapitres sont tirés de la conférence "Les âmes soeurs", donnée à Québec le 2 septembre 1993 par les anges Xedah qui sont canalisés par la médium Marie Lise Labonté.

CHAPITRE 1

L'ÉTAT DE CHOC

Il y a l'âme soeur qui sert à la désintoxication et l'âme soeur qui sert à l'évolution spirituelle la plus profonde.

Ce soir-là, je sors avec un grand malaise de la conférence des anges Xedah, anges de guérison canalisés par le médium Marie Lise Labonté[1] . Pour la première fois depuis que j'assiste aux conférences publiques que donnent les anges à Québec plusieurs fois par année, je ne ressens pas l'habituel sentiment de bien-être et de plénitude qui est pour moi l'aboutissement naturel du dialogue avec les anges.

Que s'est-il donc passé? Le thème de la conférence de ce soir était "Les âmes soeurs". Fort intéressant mais fort dérangeant également. Arrivée dans un état de réceptivité et d'ouverture au Château Bonne Entente, où avait lieu la conférence, je me sens maintenant en colère, dans une résistance profonde. Mon état d'esprit va de pair avec le froid qui règne sur Québec et mon âme me semble grelotter autant que mon corps lorsque je fais le court chemin qui mène de l'entrée du château au stationnement avec les deux amies qui m'accompagnent. Ces dernières ne comprennent pas pourquoi je

---

1. LABONTÉ, Marie Lise, *Ces voix qui me parlent*,
Les éditions Shanti, Knowlton, 1993.

suis dans un tel état. Elles sont, quant à elles, ravies de l'enseignement reçu et par conséquent étonnées de ma réaction négative. Je ne comprends pas moi-même pourquoi je suis bouleversée à ce point.

- Pourquoi les anges ont-ils dit qu'il était possible mais difficile de passer du stade de l'âme soeur de désintoxication à celui de l'âme soeur d'évolution avec la même personne?

Ginette, l'une de ces deux amies qui m'accompagnent sur le chemin de mon évolution, me regarde avec affection et compassion.

- N'oublie pas que les anges ont aussi dit que c'était toujours possible pour les âmes soeurs de désintoxication de s'unir pour évoluer vers un but supérieur.

Mince consolation pour moi qui ai surtout retenu comme message que "ce but peut difficilement être atteint dans une telle relation car l'énergie est surtout consumée au niveau du nettoyage de la personnalité". Ainsi, l'âme soeur de désintoxication est là pour nous aider à reconnaître et à épurer notre ego, disent les anges. Avec cette âme soeur, nous avons la possibilité de contempler les jeux de notre personnalité et les jeux de pouvoir de notre enfant intérieur, de notre adolescent, de notre adulte, de notre ego spirituel, et ainsi de suite. Nous pouvons donc utiliser l'énergie de cette relation pour nous guérir et pour guérir l'autre.

Ces paroles des anges résonnent encore douloureusement en moi et je reconnais indubitablement le long processus de nettoyage de la personnalité que mon conjoint et moi avons entamé il y a longtemps déjà. Nous avons guéri ainsi plusieurs aspects de nous-mêmes et nous sommes maintenant plus aptes à nous accepter tels que nous sommes. Cependant, ce qui me fait mal ce soir, c'est que les anges Xedah nous ont informés que, si les âmes soeurs de désintoxication sont fort importantes sur le chemin de l'évolution spirituelle, plusieurs d'entre nous les avons déjà rencontrées. Quant aux rencontres d'âmes soeurs servant l'évolution spirituelle, je comprends qu'il s'agit d'un phénomène relativement récent qui ira en s'accentuant au cours des prochaines années. Dans mon cas, cela me produit le même effet que si on venait de m'annoncer ma rupture avec Michel, mon conjoint actuel. Spontanément, je pense à la réaction de Marie Lise Labonté lorsque les entités The Transformers, canalisées par Francis Hosein, lui avaient annoncé que sa relation avec son amoureux ne serait pas de longue durée puisqu'elle avait une âme soeur qui l'attendait et avec qui elle avait une mission spécifique à accomplir[2]. Je comprends sa colère, je ressens la même en cet instant. L'idée de ne pas évoluer avec mon conjoint vers d'autres sphères encore plus lumineuses m'est intolérable. Est-ce que je ne nourris pas en secret le fol espoir qu'il "embarque" avec moi dans la grande aventure spirituelle? Depuis le début de nos dix-sept ans de vie commune, j'ai besoin qu'il me soutienne dans ce que j'entreprends, qu'il me confirme dans ce que je suis, qu'il m'assure que j'ai pris le bon chemin.

Ce soir-là, pendant qu'avec mes deux amies je prends la route du retour chez moi, je sens que ma vie

2. LABONTÉ, Marie Lise, *Ces voix qui me parlent*, op. cit, p.45.

commence à trembler et j'ai peur. C'est comme si, tout au fond de moi, je sais déjà que l'inévitable va se produire. Comme si mon âme avait reçu le signal de se préparer à vivre une grande aventure et bien entendu, je résiste de toutes mes forces à cette pensée. J'ai travaillé si fort pour installer le confort dans ma vie. Confort affectif, confort matériel, confort professionnel. Le plus déterminant : une longue thérapie pour me prendre en charge, pour ne plus faire subir à l'autre mes sautes d'humeur et mes états d'âme variés, provenant d'émotions enfouies au plus profond de mon être depuis très longtemps. Une thérapie qui m'a amenée à explorer les méandres de mon inconscient pour y trouver des parties de moi-même oubliées, pour me reconstituer et, enfin, pour avoir le sentiment de renaître. Cette rencontre avec moi-même m'a menée vers l'autre et je me refuse d'envisager l'idée même de perdre cette complicité entre nous deux si chèrement acquise.

Pendant que mes deux compagnes discutent des propos des anges, je laisse mes pensées dériver et remonter le fil du temps. D'aussi loin que je me souvienne, la seule chose qui m'ait toujours intéressée sur cette terre était de comprendre le sens de ma vie, le sens de la vie. C'est ainsi que les gestes des gens m'intéressaient beaucoup moins que les mobiles qui les poussaient à agir. La réaction d'une personne devant un événement, complètement différente de celle d'une autre personne devant le même événement, me laissait songeuse et m'amenait à croire que le caractère unique de chaque personne était en fait intimement lié à toutes les expériences vécues par cette dernière sur les plans physique, mental, émotionnel et spirituel. J'allais découvrir plus tard que cela dépassait largement notre expérience terrestre actuelle, ce qu'à ce moment-là je ne faisais que pressentir.

Depuis ma prime enfance, les guerres et les manques d'amour me laissaient vulnérable et désemparée et je cherchais, au-delà des apparences, les secrets de cette violence, de cette souffrance. Je ressentais profondément les blessures des gens dès que j'étais en leur présence et un besoin grandissait en moi d'aider, de soigner, de guérir.

La découverte de la psychologie, la lecture de nombreux ouvrages sur le sujet et, enfin, l'expérience thérapeutique m'avaient apporté des réponses fort importantes en m'indiquant le chemin des émotions et en m'apprenant la compassion envers moi-même et l'enfant que je portais à l'intérieur de moi. J'avais aussi découvert peu à peu que l'amour ne pouvait provenir que de l'intérieur alors que, pendant longtemps, je n'avais eu de cesse de le chercher à l'extérieur.

- Tu as toutes les réponses en toi, me répétait ma thérapeute.

Cette démarche en profondeur, bientôt jumelée à un travail corporel, m'avait fait évoluer tranquillement vers mon pouvoir intérieur mais me laissait toutefois insatisfaite dans les recoins secrets de mon âme. Le sens profond de ma vie, ma mission sur la planète ne m'apparaissaient pas encore clairement et c'est alors que je commençai à prier et à demander des réponses. J'en reçus sous formes de livres dits ésotériques et de rencontres avec des personnes qui osaient parler ouvertement de spiritualité, d'âme, d'une puissance infinie qui nous guide, de chakras[3] , de méditation, etc. Moi qui suis une amoureuse des mots, je me laissais bercer par la douceur que ces mots portaient en eux et je m'ouvrais à découvrir le sens et la dimension nouvelle qu'ils apportaient dans ma vie.

Et puis, un miracle se produisit. Car les miracles existent. Ils sont en quelque sorte la matérialisation de nos désirs les plus fous, de nos aspirations les plus profondes. Le miracle prit cette fois la forme d'une amie qui m'invita à aller entendre une conférence des anges Xedah. Cette invitation me procura un tel plaisir que j'en fus quelque peu étonnée. Une douce chaleur se répandit dans mon corps et il me sembla que mon âme rayonnait. J'avais déjà une grande confiance en la médium Marie Lise Labonté, qui m'avait guidée par ses écrits vers l'antigymnastique et la découverte de mon corps[4] . J'avais la certitude intérieure que cette femme, qui dégageait tant d'amour et qui avait eu le courage de faire un travail d'autoguérison en laissant tout derrière elle, ne pouvait canaliser que des forces supérieures lumineuses. Après m'avoir amenée vers la conscience de mon corps, elle m'aiderait donc à élargir ma conscience et à aller à la rencontre de mon âme, en me permettant d'entendre les enseignements et de recevoir l'énergie des entités de guérison qu'elle canalisait.

- Nous sommes arrivés. Nous vous souhaitons la bienvenue dans nos vibrations et dans les vibrations de

---

3. Chakras: centre d'énergie répartis sur différents points du corps et tournant sur eux mêmes comme des spirales.
4. LABONTÉ, Marie Lise, *S'autoguérir c'est possible,* éd. Québec/Amérique, 1986.

la Source. Réalisez-vous que vous êtes les maîtres de votre existence?

C'était la première fois que j'assistais à une rencontre médiumnique. Ce qui me fascinait le plus était de sentir la présence vibratoire des anges. Nul doute, ce n'étais plus Marie Lise qui s'adressait à nous, elle avait quitté pour laisser toute la place à ces entités d'amour et de guérison. Assise par terre en avant, je les entendais s'adresser à nous avec humour et je ressentais, pour la première fois, dans cette incarnation, la vibration de l'amour inconditionnel.

Cette vibration se manifestait pour moi au chakra du coeur, mon coeur qui s'ouvrait pour laisser circuler une énergie puissante d'amour et de joie. Je me laissais porter par cette joie et je constatais que les taquineries bien terrestres des anges contribuaient à tisser un fil conducteur entre la salle et eux. Leur amour sans conditions se traduisait par des messages qui ne portaient aucun jugement et qui s'adressaient d'abord et avant tout au coeur. Ce qui me mettait en confiance était le fait que ces messages nous renvoyaient continuellement à notre libre arbitre, à notre discernement et à notre pouvoir intérieur. Cela convenait parfaitement à la fille indépendante que j'étais et qui recherchait plus la maîtrise de sa vie que le gourou paternaliste.

Je me réjouissais également que l'enseignement soit cohérent et d'une grande qualité puisque mon corps mental pouvait ainsi se satisfaire de l'intelligence du discours et me laisser vivre l'expérience en paix. D'une certaine façon, cette conférence s'inscrivait dans la continuité de ma démarche thérapeutique tout en me permettant d'acquérir de nouvelles connaissances utiles à mon évolution et d'élargir davantage ma conscience.

- Tu es à la bonne place au bon moment. Fais confiance. Je t'ai guidée.

Je sus tout de suite que cette petite voix qui montait était celle de mon âme. Mon âme me parlait. C'était bon signe. Tout en me réjouissant de ce début de reconnaissance entre elle et moi, je réalisais les peurs que j'avais traversées ce soir-là pour entendre l'enseignement qui portait sur la peur. Peur de passer pour une "folle" si cela se savait dans mon environnement plutôt conformiste, peur d'être manipulée, et probablement, peur d'une rencontre avec le divin en moi. Et là, soudainement, en acceptant de me laisser toucher par la grâce, je laissais aller les peurs pour faire place à la lumière et à l'amour.

Plusieurs conférences plus tard, à l'issue de cette rencontre sur les âmes soeurs, les peurs reviennent en nombre et en force. Je ne sais pas de quoi j'ai peur. Sauf que je pressens le changement. Un grand changement qui va bouleverser toute ma vie. Voilà ce qui m'habite alors que je reviens vers l'âme soeur qui m'a sans aucun doute permis d'expérimenter la désintoxication et pour qui j'éprouve beaucoup d'amour et un profond attachement.

CHAPITRE 2

LA RECONNAISSANCE KARMIQUE

Vos vies avec cette âme se vivent aussi en même temps que celle-ci et c'est pourquoi en présence de certaines âmes qui sont l'âme soeur, vous reconnectez rapidement sur des mémoires karmiques car vous êtes déjà unis par ces ponts et ceci vous aide à transcender très rapidement les mémoires avec cette âme dans le but de vous servir et de guérir.

Il vient d'entrer dans l'espace de la Direction des communications. Un espace uniformément beige et gris comme tous les espaces gouvernementaux que j'ai habités depuis quinze ans. Cloisonnés dans des compartiments, les gens vont et viennent dans des environnements préfabriqués avec soin pour étouffer la créativité et la joie. Privilégiée, j'ai encore une grande fenêtre, ces fenêtres qui m'aident à recevoir la lumière et à élargir ma vision.

Il entre et l'espace semble s'agrandir et s'éclairer. Je le vois pour la première fois et pourtant j'ai la certitude de le connaître. Mon coeur et mon troisième oeil sont en éveil, en émoi.

- Bien sûr que tu le connais, me murmure mon âme tout doucement.

Je la fais taire et je chasse immédiatement ce sentiment de reconnaissance pour redevenir une jeune femme bien logique et raisonnable. Pourtant, quand il s'en va, je ne peux m'empêcher de le suivre du regard.

Piquée par je ne sais quelle curiosité, je m'informe à ma patronne à son sujet. Les réponses de cette dernière me disent clairement que je me suis illusionnée, que je ne connais pas cet homme. Pourtant, lorsque quelques jours plus tard, je le revois dans le bureau d'une collègue avec qui j'ai de bons liens affectifs, je l'observe et je ressens à nouveau ce sentiment de reconnaissance. Il parle à cette collègue, lui sourit et je pense qu'il n'a vraiment pas changé. Je me rends aussitôt compte de l'incongruité d'une telle pensée. Je me répète que je ne le connais pas.

- N'est-il pas gentil et sympathique?

Je sursaute à cette question de ma copine. Faussement désinvolte parce que troublée, je lui dis qu'il est séduisant mais que "ce ne serait pas mon genre de gars". Et pourtant, je ressens presque de la jalousie face à l'intérêt qu'il semble lui porter. Je ne suis pas certaine qu'il m'ait remarquée et je lui en veux de son indifférence à mon égard.

Que m'arrive-t-il? Je décide de ne pas perdre de temps à fabuler et je reprends vite le contrôle de la situation. Enfin, c'est ce que je me laisse croire puisque je suis de ces personnes qui cherchent une forme de sécurité dans le contrôle de leur vie. Je rationalise donc ce qui m'arrive en me disant qu'après tout je ne cherche pas d'aventure, que je suis depuis toujours une femme fidèle, autant en amour qu'en amitié, et que je ne crois surtout pas aux coups de foudre. Ce n'est d'ailleurs pas ce genre d'attrait que cet homme exerce sur moi. Mais alors, qu'est-ce que c'est? Je ne veux surtout pas entendre la petite voix qui me dit :

- Tu le sais bien ce que c'est.

Un mois a passé depuis la conférence sur les âmes soeurs. Mon conjoint et moi sommes à la fois très proches et très éloignés l'un de l'autre. Très proches parce qu'il y a entre nous cette grande complicité, cette tendresse indéfectible et cette compréhension de la souffrance de l'autre qui nous lient. Très éloignés parce que mon âme et son âme savent déjà que nous arrivons au bout de notre aventure commune, que nous allons bientôt prendre des chemins différents. J'entre de plus en plus dans l'aspect spirituel de ma vie et j'ai de moins en moins d'intérêt pour tous ces grands projets de voyages que nous avons réalisés ensemble et qui m'ont ouvert l'esprit et le coeur. Je suis maintenant attirée ailleurs, vers d'autres voyages. Très intuitif, Michel ressent tout cela et je vois sa peine qui me déchire. Sa façon d'expérimenter le côté spirituel de son être est différente de la mienne et il oppose une résistance un peu moqueuse à ce que je vis. Il me renvoie avec force ma peur d'être jugée par mes pairs. Je me sens ambivalente, inquiète. En fait, c'est ma propre résistance qu'il me montre dans un miroir grossissant.

C'est dans cet état d'esprit un peu confus que je me présente au bureau de ma patronne qui a demandé à me voir. Colombe est également une amie dont j'admire la façon d'intégrer le spirituel dans le quotidien. Son nom appelle la paix. J'ai l'intuition très nette qu'elle va me faire une demande importante. Je ne me trompe pas. Elle me parle d'un dossier de premier ordre au ministère, m'explique les problèmes que ce dernier suscite.

- Accepterais-tu de prendre ce dossier en charge pour quelque temps? Je pense que tu pourrais apporter des solutions satisfaisantes au client qui en a la responsabilité.

Je suis littéralement bouche bée puisque le client en question s'avère être cet homme que j'ai vu et qui, justement, trouble la paix de mon âme.

- Tu sais bien que je ne suis pas venue pour travailler sur ce type de dossier. Je n'en ai pas vraiment l'envie ni le goût et j'ai bien autre chose à faire actuellement.

Colombe me connaît bien et elle ne semble pas surprise outre mesure de ma réaction. Elle me demande de réfléchir quelques jours et de lui en reparler, ce qui m'arrange car j'ai besoin de temps et de recul pour prendre ma décision.

Une semaine a passé. Assise devant Colombe, je me sens désarmée, poussée dans mes derniers retranchements.

- Alors, qu'en penses-tu? Tu sais, je crois vraiment que tu es la seule personne à qui je peux confier le dossier en ce moment et je veux que tu saches que c'est extrêmement important pour l'organisation de le mener à bien.

Quand on fait appel à ma conscience professionnelle, je flanche. À court d'arguments, j'accepte en posant la condition que cet engagement soit à revoir dans quelques mois. Ébranlée, je sors de son bureau vaguement consciente du fait que je viens de sceller une partie de mon destin. Comme les anges se plaisent à le répéter : "Vous êtes les maîtres de votre destin." Et je n'oublie pas qu'ils ajoutent avec humour... que vous ne contrôlez point.

Il me reste maintenant à me préparer à la première rencontre avec mon nouveau client. Consciencieusement, intellectuellement, profession-nellement. Mon ego travaille fort, je veux qu'il sache que je suis intelligente. Je lis, j'analyse, j'écris. Après une semaine, je suis enfin prête. Nous pouvons com-mencer notre travail ensemble.

Il me regarde de ses grands yeux pendant que la lumière semble pénétrer toute la petite pièce fermée que nous occupons et que mes chakras du coeur, du troisième oeil et de la couronne s'activent. Encore ce sentiment étrange de connexion!

- Comment allons-nous procéder?

Je reviens au moment présent et lui fais un exposé de mon savoir. Il semble impressionné, ce qui flatte mon ego. En même temps, je lui en veux déjà de son regard sur moi, un regard qui m'appelle, qui semble me deman-der quelque chose d'indicible, sans aucun lien avec le dossier que nous examinons ensemble. Quelque chose que je ne sais pas nommer, qui me fait peur et que je ne suis pas certaine de pouvoir lui donner. Lui aussi me reconnaît, j'en suis certaine, mais il n'en est pas encore conscient. Simplement, il a ce regard venu d'ailleurs qui semble vouloir sonder mon âme. Je sais maintenant que je vis une reconnaissance karmique mais mon esprit accueille difficilement le fait. Il se moque même ouvertement de moi.

- Ton imagination te perdra, ma fille.

Pendant mon enfance et mon adolescence, je dévorais les livres. Je lisais même la nuit avec une lampe de poche cachée sous mon matelas. Mon père m'avait surprise en pleine lecture nocturne et m'avait dit en colère:

- Tu lis trop, ma fille. C'est dangereux de devenir folle.

Ces mots me reviennent et dansent dans ma tête. Peut-être avait-il raison, je suis folle.

Heureusement, le dossier est accaparant et me laisse peu de temps pour mes divagations. Le travail à faire exige que nos rencontres se multiplient et peu à peu, elles deviennent le phare de ma journée. Je réalise rapidement qu'il y a en lui une grande sagesse, une sagesse qui n'a pas d'âge et à laquelle j'aime m'abreuver. Une chimie impalpable mais bien réelle s'installe entre nous. Une complicité retrouvée, vieille de milliers d'années. Je refuse cependant de m'interroger sur la portée réelle de cette rencontre, de comprendre le sens qu'elle vient donner à ma vie. J'occulte du mieux que je peux tout ce qui me perturbe pour mieux vivre la magie des rencontres.

Il vit avec une autre femme, je vis avec un autre homme. Je me sens donc en sécurité. Et puis, est-ce de l'amour que j'éprouve? Je n'ai jamais connu de sentiment de cet ordre, je m'y perds. S'agit-il d'une âme soeur d'évolution? Et si c'est le cas, qu'avons-nous à accomplir ensemble? Je me convaincs que ça se limite au travail que nous faisons au ministère. L'autre petite voix en moi, qui n'est pas celle de mon âme et qui est programmée pour jeter des douches froides sur mes élans de joie et de créativité, profite de mes moments de désarroi pour me distiller à l'oreille:

- Au fond, tu connais peu de choses de cet homme. Tu ne vas tout de même pas bouleverser ta vie pour lui.

Et voilà! Ça marche encore. La partie de moi toujours en survie réintègre son poste d'observation, persuadée de m'avoir sauvée une fois de plus.

- Comme elle est inconséquente! Prête à faire confiance au premier venu, ne voyant pas le danger. Heureusement que je suis là!

Je mets beaucoup d'énergie à me couper de la force d'attraction qui me propulse vers cet homme et je décide de l'éviter le plus possible. Invariablement, la vie se charge de le remettre sur ma route avec des clins d'oeil moqueurs. Plus je cherche à l'éviter, plus je le rencontre. Et chaque fois, il a ce regard et il y a cette lumière qui nous enveloppe et qui m'invite à lâcher prise. Colombe, qui est présente à l'une de nos rencontres de travail, me dira plus tard :

- J'ai été témoin de la rencontre karmique de vos âmes. La reconnaissance entre vous deux était si évidente que j'ai vu tout de suite le lien karmique qui vous unissait.

Pour l'instant, je me débats avec mes divers états d'âme qui commencent à se teinter également de sentiments de remords, de culpabilité envers Michel. Mon comportement avec lui change imperceptiblement. Parce que je me sens coupable, je m'éloigne de lui.

Je le sens souffrir de mon éloignement et je porte une partie de sa souffrance en moi. Il est si près de moi qu'il a tout de suite compris qu'il se passait quelque chose d'important dans ma vie, avant même que je sache ce qui m'arrivait. Je demande à la Source de m'éclairer, de me montrer la voie à suivre. Y-a-t-il vraiment un lien entre ce qui m'arrive et la conférence des âmes soeurs? L'idée commence à m'effleurer que j'ai été informée à l'avance des bouleversements que j'aurais à vivre et je ressens la même résistance, la même peur que le soir de cette conférence-clé.

CHAPITRE 3

LA RÉVÉLATION

*Et vous vous torturez, alors qu'en toute simplicité d'âme,
vous avez reconnu une essence qui vous aide à transcender
la vôtre, tout simplement et tout grandement. Ceci exige un
très haut niveau d'abandon mais vous êtes prêts et prêtes.
Bientôt vous n'aurez plus le choix.*

Je suis assise dans ma pièce de méditation. C'est ici que je me réfugie pour faire le point, trouver la paix, entrer en contact avec d'autres espaces. On entre dans cette pièce comme dans un grand soleil. D'un jaune lumineux, elle représente aussi pour moi le chakra du plexus et je peux donc y ressentir mes émotions en toute sécurité. Deux grandes fenêtres ouvrent sur le jardin si beau que Michel entretient avec amour. Il est doué pour créer la beauté autour de lui avec ses mains qui aiment manipuler la terre. Au printemps, le gros lilas qui est sous la fenêtre embaume toute la pièce. Le plancher de bois reflète les rayons du soleil qui, ce jour-là, s'attardent sur les murs de la même couleur.

Je médite depuis bientôt une demi-heure. J'ai eu la pensée fugitive que cet espace me manquerait. La pensée est repartie, j'ai réussi à calmer mon corps mental et je suis entrée dans un espace béni, en contact avec mon essence. Une douce musique m'accompagne dans les mouvements de ma respiration. Je suis bien, heureuse d'exister. Je laisse aller les tensions, je lâche prise sur toute cette agitation intérieure qui m'habite souvent depuis un mois. Et c'est alors que j'entends clairement une voix qui me dit :

- Cet homme est ton âme soeur.

Je suis abasourdie, je crois avoir rêvé. Mais non, la voix intérieure que je reconnais comme étant celle de mon âme poursuit :

- Mais n'oublie pas qu'il t'a déjà brisé le coeur.

J'ai la certitude absolue que cette voix me parle d'Alain, cet homme qui s'est installé dans ma vie, à mon insu serais-je tentée de dire. Pendant qu'un étrange sentiment fait d'un mélange de douceur et de tristesse s'installe en moi, je me souviens de cette phrase qu'il m'a dite trois jours auparavant, après m'avoir annoncé qu'il prenait quelques jours de vacances :

- Nous allons avoir le temps de nous ennuyer.

Je revois encore la porte de l'ascenseur qui se referme sur lui et sur cette première manifestation d'intimité, me laissant muette et songeuse.

Et maintenant, par ce beau samedi ensoleillé, j'entends tous ces messages à son sujet.

- Cet homme n'est pas venu vers toi par hasard. Ceci faisait partie de vos plans de vie. Vous serez guidés vers votre mission.

Suis-je en plein délire? Je n'ai pas le temps de m'attarder à cette peur parce que l'émotion douce se transforme en une émotion d'une violence incontrôlable qui monte en moi comme un raz-de-marée, balayant tout sur son passage et ouvrant les écluses. Je me retrouve à sangloter, à pleurer sans retenue une peine qui me semble vieille de quelques millénaires. Je ressens l'abandon au plus profond de mon être et je sais que l'abandon vient de cet homme. Je ne supporterai pas de le perdre à nouveau. Je pleure tout ce temps où je l'ai attendu et plus rien n'existe à l'exception de cette peine qui m'arrache le coeur. En même temps, je sais intuitivement qu'il s'agit d'un premier test, puisque la voie entre nous deux sera pavée de détachements de tout ordre.

Et puis les sanglots s'apaisent et je retrouve la détente mais je me sens vidée, extrêmement fragile et vulnérable. L'amour et la lumière m'habitent en même temps que je me sens sur un fil d'équilibre très précaire.

Toute la fin de semaine, je vis une grande solitude, ne pouvant partager avec personne ce qui m'arrive et sur quoi je n'ai aucune prise. Échec et mat à mon côté analytique qui veut toujours tout comprendre. Je crée un silence entre Michel et moi parce que je ne sais pas lui mentir, parce que j'ai peur de passer pour une illuminée si je lui raconte mon expérience, et surtout parce que je crains sa réaction et que je veux éviter de le blesser. Je prie les anges et les supplie de m'éclairer, de m'aider à prendre le meilleur chemin pour servir la Source, de me donner un signe pour m'indiquer si je suis sur la bonne voie. Je m'adresse à mon âme qui sait tout de mes multiples vies sur tous les plans et lui demande son soutien inconditionnel dans cette phase périlleuse de ma vie.

Alors que j'ai généralement un effort à faire pour retourner au bureau après la fin de semaine, je m'y rends avec beaucoup d'espoir ce lundi-là, en espérant que la Vie me fera ce signe attendu. Très tôt, je reçois un appel d'Alain qui m'invite à dîner et me dit qu'il vit des moments difficiles et qu'il est surtout venu aujourd'hui pour me voir. J'accepte son invitation avec empressement car j'éprouve moi aussi un besoin urgent de le rencontrer. C'est ainsi que nous nous retrouvons dans un restaurant japonais, en plein centre-ville. Assise en tailleur devant une table basse, je ressens cette fois l'attraction du chakra de la couronne qui élève mes vibrations. Le contact entre nous deux s'établit d'une façon instantanée comme la lumière qui jaillit avec le bouton du commutateur. Pas de barrière entre nous, rien que la transparence de nos âmes. Je l'entends tout à coup me demander sans ambages :

- Est-ce que ça se pourrait que nous soyons des âmes sœurs tous les deux?

Je l'ai mon signe! Et il est si gros que j'en suis abasourdie et que mon cœur bat à tout rompre. J'entends quelqu'un répondre avec beaucoup d'assurance :

- Je ne sais pas mais ce que je sais, c'est que je t'aime inconditionnellement.

C'est moi qui parle et pourtant je ne me reconnais pas. J'ai l'impression d'être le témoin de cette femme assise sur un coussin devant son mets exotique et qui dit des mots d'une portée énorme à un collègue de travail rencontré il y a un mois à peine. Qu'est-ce qu'elle en sait, cette femme, de l'amour inconditionnel? Et cet homme qui écoute ces mots comme si c'était normal qu'elle s'adresse à lui de cette façon.

- Moi, je crois que tu m'as été envoyée par la Source.

La femme est gênée d'entendre cela. Il ne peut s'agir de moi, la Source ne peut pas m'avoir choisie comme messagère. Je ne suis pas assez importante pour cela. Et pourtant, cet homme semble croire sincèrement ce qu'il dit.

C'est au cours de ce dîner où je suis dans un état altéré de conscience qu'il m'apprend que sa conjointe et lui se séparent, après sept ans de vie commune. Cette nouvelle me terrorise puisqu'elle le rend libre et accroît le danger pour moi. Je commence déjà à me raisonner, à me dire que de toute façon il est trop jeune ou alors je suis trop vieille puisqu'il a dix ans de moins que moi. C'est sûrement un écart insurmontable! Il y a encore peu de temps de cela, la société n'acceptait pas qu'une femme soit amoureuse d'un homme plus jeune qu'elle. L'inverse était beaucoup plus vraisemblable et normal, dans un monde où les hommes avaient édicté la plupart des règles de conduite. Et malgré mes années d'affirmation féministe, le tabou revient en force.

Pendant que je jongle avec cette idée, les anges Xedah veillent sur moi. Je me souviens tout à coup de cette phrase prononcée lors de la conférence, au regard des retrouvailles d'âmes soeurs:

- Ceci n'est point possible, il est beaucoup trop jeune.

Je ne peux m'empêcher de sourire et j'entends

encore :

- Cette forme, vous la trouvez trop belle pour vous et vous avez peur à vous en cacher sous la couverture.

Les anges sont taquins mais je m'aperçois surtout qu'ils nous connaissent bien et qu'ils devinent nos résistances.

Je reviens au moment présent et je vois Alain qui me regarde et me dit qu'il a reçu le message de toujours être honnête avec moi. Cela me semble de bon augure. J'aime l'honnêteté, la vérité, l'intégrité. Ses yeux n'ont pas l'air de savoir mentir. Nous échangeons sur nos besoins respectifs de connaître et de réaliser notre mission sur terre, sur nos certitudes de vivre plusieurs vies en même temps, sur nos expériences d'ordre spirituel.

Cette reconnaissance, cette connexion entre nous deux nous remplit d'émerveillement. Nous avions si longtemps douté de rencontrer un jour quelqu'un pour partager cette soif d'absolu, ce goût du divin et cette certitude d'avoir choisi notre incarnation pour y accomplir un service dans l'amour et la lumière.

Le temps terrestre fuit et le dîner se termine. C'est l'heure de retourner au bureau et pourtant, à la sortie du restaurant, nous prenons instinctivement le côté de la rue opposé au bureau. Nous nous regardons et nous savons que cet après-midi nous appartient, que c'est un cadeau que nous avons le choix de prendre ou de refuser.

- As-tu vraiment envie de retourner au bureau?
- Pas du tout, et toi?

D'un commun accord, nous décidons de faire notre

première et unique fugue depuis que nous travaillons. Satisfaits de notre décision et en paix avec nous-mêmes, nous tournons résolument le dos à la raison, à la logique, à la culpabilité, aux "il faudrait" et aux "nous devrions", pour laisser monter en nous l'intuition longtemps réprimée, la joie pure, le désir de changement.

Nos pas nous mènent dans les dédales des rues du Québec historique, cette partie de la ville qui nous plonge au coeur de nos racines françaises. Depuis plus de vingt ans, une histoire d'amour circule entre le Vieux-Québec et moi. Que de rêveries les vieilles maisons de pierre ont engendrées dans mon esprit! Que de plaisir à me réfugier dans ces nombreux bistros que nous appelons tout simplement "cafés" de ce côté-ci de l'Atlantique! Et que dire de ces remparts qui semblent protéger la ville pendant qu'en bas le majestueux fleuve Saint-Laurent longe les falaises et les quais. Québec, ville au nom magique de racine amérindienne, le "lieu où le fleuve rétrécit", m'a accueillie en son sein alors que je cherchais un lieu d'arrêt, un lieu pour me fortifier. Je lui en suis éternellement reconnaissante.

Nous marchons et nous découvrons en même temps la vie "en semaine" des après-midi d'automne en ville, vie que nous côtoyons si peu souvent, nous les fonctionnaires bien à l'abri derrière nos paravents beiges ou gris. Plusieurs d'entre nous vivent d'ailleurs en attente de fins de semaines et je me suis déjà laissée prendre moi-même à ce piège.

Aujourd'hui, j'ai choisi de vivre un après-midi de

semaine et j'en suis ravie. L'énergie de joie qui se manifeste entre Alain et moi prend de plus en plus d'ampleur. Le rire nous gagne et éclate si fort qu'Alain a des
saignements de nez. Il me dit que c'est une libération,
quelque chose qui débloque. Il se savait plus rire. Je vais
lui chercher des papiers-mouchoirs, je ne suis pas
inquiète.

- Tu peux continuer, j'ai tout ce qu'il faut.

- Il faut bien que j'arrête de saigner du nez si je
veux continuer à vivre avec toi.

Il a fait un lapsus. Il voulait dire "rire avec toi" et
il a dit "vivre avec toi".

- Tu veux vraiment vivre avec moi?

- Je ne sais pas, j'ai grandement l'impression que
mon inconscient parle à ma place.

Assis sur les marches d'un édifice ancien, nous
nous regardons et nous avons l'impression d'être dans
un espace à la fois étranger et familier. En ce moment
même, je sais que ma vie va changer complètement et
rapidement. Serai-je capable de m'abandonner à la fluidité, à la grâce qui m'habite? Je décide de laisser couler
cette journée bénie, de me permettre de la vivre tout
simplement, sans questions.

La vie me récompense, tout est magique. Dans un
petit café d'allure rétro, nous parlons de nous, de nos
vies, comme si nous avions des milliers d'années à rattraper, une intimité à retrouver d'urgence. Nous faisons
presque de la télépathie, la reconnaissance de nos âmes
est très forte. Je suis sûre qu'elles dansent dans la
lumière et que nos guides jubilent. Peut-être les anges

nous donnent-ils de petits coups d'ailes...

- Tout est en ordre, le grand plan est en marche, se disent-ils tous.

- Et si on allait au cinéma, me demande Alain.

Je ne suis pas sûre de vouloir y aller. Tout à coup, je pense à Michel et à nouveau la culpabilité paralysante m'envahit. Ce que je vis en ce moment me semble beaucoup plus important que d'avoir une aventure avec quelqu'un. Michel a toujours été honnête avec moi et je ne sais pas tricher. Que vais-je lui dire? Comment concilier l'amour-tendresse-complicité qui nous lie avec cette ouverture profonde du coeur et de l'âme qui me lie maintenant à Alain? Et d'ailleurs, comment puis-je éprouver en même temps des sentiments en apparence si contradictoires? Je chasse ces pensées, il est trop tôt pour les réponses. Je me centre sur mon "ici et maintenant". C'est le temps de l'expérimenter.

Nous décidons encore une fois de laisser la vie nous présenter la solution. Dehors, il fait doux et il commence à pleuvoir. Alain achète un grand parapluie pour deux. Comme si je faisais déjà partie de sa vie. Cette tranquille assurance me rassure et m'effraie tout à la fois. Je me rebelle un peu, je ne vais pas le laisser entrer si facilement dans ma vie si bien organisée.

- Trop tard, la porte est ouverte, entends-je.

Devant le cinéma, nous regardons les films à l'affiche sans en croire nos yeux. En gros titre : Les âmes soeurs de Seattle. Incroyable, mais vrai! Les signes se multiplient sur notre route. Le sort en est donc jeté, nous irons au cinéma. Assis devant des adolescentes, un film romantique placé sous les auspices de l'amour et du destin qui réunit les âmes soeurs se déroule devant nous. Nous ne pouvons nous empêcher de faire des remarques, de rire de certaines réparties, ce qui nous attire la sympathie des adolescentes qui nous regardent avec indulgence. Alain ne me prend pas la main, ne me touche pas. Je ne pourrais pas le supporter, l'énergie entre nous deux est trop puissante. Je ne veux pas non plus trahir la confiance que Michel a placée en moi.

La réalité bien terrestre reprend ses droits. Je dois retourner chez moi. Nous avons déjà beaucoup de difficulté à nous séparer. Sur le chemin du retour, je m'achète un papillon en laiton et cristal, à mettre dans une fenêtre. J'ai envie d'ouvrir mes ailes moi aussi. Je tente de retrouver toutes les parties de moi, de bien les intégrer pour rentrer à la maison. Alain me dit au revoir avec beaucoup de douceur et d'amour. Je sens l'énergie circuler dans tout mon corps et c'est pleine de cette énergie que j'entre dans cette belle maison que nous habitons depuis onze ans, Michel et moi, et dont je sens déjà que je devrai faire le deuil.

Michel est là. Il m'attendait et il m'enveloppe de son amour et de sa tristesse. Il ne sait pas encore mais son âme sait déjà. Avec sa grande sensibilité, son intuition très développée, il pressent ce qui nous arrive. Je voudrais tant pouvoir lui éviter cela. Mais au plus profond de moi, ce soir-là, je sais que ma vie vient de prendre un virage majeur et que rien ne peut plus me ramener en arrière. Et puis, il me vient à l'idée que je mésestime la force de Michel, qui est sans doute tout à fait capable de vivre sans moi et surtout de se découvrir lui aussi de nouvelles ailes.

CHAPITRE 4

LA RÉSISTANCE

*Il est difficile de quitter une âme soeur, quand on est cons-
tamment au niveau de l'ego et qu'on n'arrive pas à joindre
le petit point au-dessus pour la propulsion, car vous êtes
déjà liés par des ponts. Quittez en transcendant cette relation
et en remerciant cette âme pour ce qu'elle vous a appris.
Quittez dans un sentiment d'amour et de reconnaissance.*

Le temps terrestre file à une vitesse surprenante. Je
me sens bousculée, j'ai peine à suivre, moi qui porte
bien mon nom et qui ai tendance, en ce qui concerne les
grandes choses, à avancer à "petits pas". Je ne suis plus
la même depuis cette journée mémorable où Alain et
moi nous sommes retrouvés. Je voudrais me laisser aller
à l'élan qui me pousse vers l'avant mais une force en
moi me tire en arrière, me retient. Un long combat entre
ma raison et mon intuition s'est engagé. Je ne suis pas
encore prête à faire confiance en la partie intuitive de
mon être, cette partie "yin" si longtemps niée, cachée,
bafouée même. J'ai plutôt développé mon côté logique,
rationnel et je me suis mise à expliquer, analyser et
intellectualiser ma vie en oubliant souvent de la vivre.
Bien entendu, cette partie "yang" est à l'aise dans l'action qui lui donne l'illusion du contrôle et elle a horreur
des périodes de transition qui génèrent l'insécurité. Je

ne sais pas encore comment intégrer ces deux parties de moi, comment créer l'alliance qui fait de l'action le simple prolongement de l'intuition.

   - Laisse-toi aller. Lâche prise. Fais confiance en la vie et cesse de résister au courant si tu ne veux pas qu'il te brise.

   Malgré ces sages conseils de mon âme qui essaie tant bien que mal de m'indiquer la voie à suivre, je me laisse submerger par le flot des émotions. Depuis que j'ai appris à leur faire de la place en thérapie, ces dernières refusent catégoriquement de se laisser mettre dans le tiroir.

   - Tant mieux, me dis-je, je peux au moins me sentir vivante.

   Le problème, c'est que je n'arrive plus à retrouver mon observateur, ce témoin qui me donnait la distance ou l'espace nécessaire pour ressentir l'émotion sans vivre l'envahissement. Je passe donc facilement de la joie à la peine, de l'euphorie à la culpabilité. Je me sens dépassée par les événements, je demande un temps d'arrêt pour reprendre mon souffle. Au lieu de prendre de bonnes respirations comme j'ai appris à le faire en yoga et en antigymnastique, je me crispe et je bloque ce souffle de vie si nécessaire à l'équilibre.

   La partie de moi qui est une survivante et qui me croit toujours en grand péril profite de ce déséquilibre pour réapparaître.

   - Regarde bien tout ce que tu as construit au fil des années. Tu mènes une vie que plusieurs t'envient, tu n'es pas vraiment malheureuse, tu formes avec Michel un couple que bien des gens voient comme un modèle. Tu ne vas pas laisser tout ça derrière toi pour sauter dans le vide.

Je marmonne :

- Les parachutes existent. Et puis, fais-moi un peu confiance. Je t'ai quand même prouvé que je ne suis pas une "tête en l'air".

Ce qu'elle peut parfois être emmerdeuse, cette survivante! Je ne peux cependant pas lui en vouloir, avec tous ces signaux de détresse que je lui envoie. Je vais plutôt dialoguer avec elle afin d'établir les balises qui peuvent lui donner la sécurité dont elle a besoin pour me laisser avancer sur ma route.

Ce long combat avec moi-même me fatigue beaucoup. Je commence à puiser dans mes réserves d'énergie et j'entends de plus en plus souvent ce commentaire :

- Tu as maigri. Fais attention à toi. Tu es déjà si petite...

Je n'aime pas me sentir "petite". Moi qui me croyais aguerrie, parfaitement capable de vivre les séparations puisque j'étais partie de la maison familiale à l'âge de douze ans, je réalise ma vulnérabilité, ma peur d'un autre exil.

Enfant de la Côte-Nord du Québec, j'ai d'abord connu l'isolement géographique qui engendrait parfois l'angoisse. Angoisse de ne pas pouvoir se faire soigner à temps si on était malade, angoisse diffuse d'être coupée du reste du monde, abandonnée de Dieu. Et en même temps, le sentiment d'une liberté totale, absolue, celle qui vient de la mer qui se déploie devant toi sous toutes ses formes et qui t'invite à naviguer aux confins de l'imaginaire et de l'impossible. Marginalité de l'enfant de la Côte-Nord qui voudrait se fondre dans la masse étudiante du séminaire de Hauterive et qui se fait si bien remarquer par son accent différent, étranger. Je prends soudainement conscience de mon héritage ambivalent : le désir de partir côtoie intimement le désir de s'intégrer.

Le silence s'agrandit entre Michel et moi. Je cherche les mots pour lui dire ce que je vis et les mots s'étouffent dans ma gorge. Je me rends compte que je ne sais pas nommer ce sentiment qui m'habite. Je ne peux pas lui dire : "J'ai un amant", puisque ce n'est pas le cas. Alors, que dire, que faire, sans blesser, sans créer l'irréparable? Il va pourtant falloir que je parle.

Je ne peux tolérer plus longtemps mon incapacité d'agir qui me plonge dans un sentiment d'impuissance. Je choisis donc ce qui m'apparaît le moindre des maux: la fuite. Désormais, je mettrai tout en oeuvre pour éviter Alain et ainsi tout rentrera dans l'ordre tranquillement. J'en ai vu d'autres! J'impose silence à mon âme, je revêts mon armure et je dis à la Vie :

- À nous deux! On verra bien qui aura le dernier mot.

Tentative bien futile pour échapper à un destin que j'ai choisi il y a longtemps. Pour bien me montrer le côté dérisoire et illusoire de ma décision, la Vie m'envoie très rapidement un autre mandat professionnel très important qui va m'obliger à travailler avec Alain des journées complètes pendant un mois. Sur le plan du travail, on fait une très bonne équipe, on se complète merveilleusement bien. Des difficultés surgissent parfois lorsque nous sommes confrontés à des émotions qui remontent de très loin et qui nous troublent d'autant plus qu'elles ne s'apparentent en rien à notre vie présente. Je me souviens que les anges avaient mentionné que la rencontre d'une âme soeur réveillait les mémoires karmiques mais nous ne savons pas comment nous en libérer et cela crée parfois des tensions entre nous. Dans ces moments, plutôt rares heureusement, me revient aussi cette petite phrase qui en dit long :

- Rencontrer une âme soeur n'est point nécessairement le nirvana.

Et pourtant, les moments de grâce et de communion se font de plus en plus fréquents et prennent rapidement le pas sur les doutes. Alain fait montre d'une grande patience avec moi qui cherche les certitudes au lieu de vivre la fluidité. Pourquoi vouloir nommer la relation à tout prix ? Elle est ce qu'elle est. Je m'obstine, en partie parce que je lui en veux de m'avoir enlevé ma coupole de verre, alors qu'elle me protégeait si bien de tout mon environnement. Je me sens comme la rose du petit prince et j'ai peur d'être abandonnée si je me laisse apprivoiser. Je trouve l'apaisement en lui communiquant de plus en plus mes états d'âme et en méditant régulièrement. J'ai fait connaître les anges à Alain, il les a aimés. Il aime la spiritualité, il croit en la puissance de l'énergie et il a envie de découvrir sa mission. Sur ce plan aussi, il y a une totale communion entre nous. Et plus que tout, nous nous acceptons déjà dans nos faiblesses en les voyant comme des outils pour nous faire avancer. Cette totale acceptation l'un de l'autre est un cadeau précieux que nous cultivons car elle est le poteau d'alignement qui nous permet de maintenir le cap.

Au retour d'une de ces journées de travail où j'ai senti une intimité croissante entre Alain et moi, je reviens à la maison où je trouve Michel en train de cuisiner. Il me parle et je lui réponds mais je ne suis pas vraiment là, je n'habite pas toujours mon corps, ces temps-ci. Tout à coup, Michel me prend aux épaules et me dit en me regardant droit dans les yeux :

- Parle-moi. Tu dois me parler.

Le temps s'arrête, je vis une seconde d'éternité. Je suis affolée, alors je respire et je me jette à l'eau.

- Je crois que j'ai rencontré mon âme soeur.

Je m'entends prononcer cette phrase en même temps que je voudrais la rattraper. Et tout à coup, la magie de l'amour se met à opérer. Michel me regarde et je lis dans ses yeux autant d'amour que de tristesse. Il pose sa main sur mon coeur et me dit simplement :

- Tu dois écouter ton coeur.

Pour la première fois de ma vie, je sais qu'un être humain peut éprouver de l'amour inconditionnel à mon égard et je suis aussi étonnée qu'émerveillée d'expérimenter cette facette de l'amour au moment de la séparation. Peut-être les anges ont-ils raison et n'y-a-t-il point de véritable séparation. Rapidement, la peine m'envahit et c'est en pleurs que je raconte à Michel que je ne l'ai pas trompé au sens bien prosaïque du terme, que j'ai besoin de me retrouver seule pour recoller tous mes morceaux, me recentrer, me comprendre.

Malgré sa peine, Michel ne me projette ni colère, ni haine. Il me demande juste un peu de temps, ce qui m'arrange car j'ai aussi besoin de temps. Devant cette tendresse qui transcende toutes les autres émotions, j'ai encore davantage d'estime pour cet homme qui m'aura donné en quelques secondes l'une des plus grandes leçons de ma vie. Je me questionne aussi sur ma propre noblesse d'âme car je suis loin d'être certaine que, dans la situation inverse, j'aurais eu la même réaction. Je suis si fragile devant l'abandon que je ne sens plus les frontières entre abandonner et être abandonnée. Je m'en veux de faire souffrir ce compagnon d'une longue route, je voudrais tout effacer, réparer, oublier, recommencer à zéro mais il est trop tard. J'ai fait un choix et je dois l'assumer, commencer à vivre pleinement la responsabilité de ce choix. Je n'aurai pas l'indécence de me faire consoler par Michel du chagrin que je lui cause. Je sais seulement que je n'oublierai jamais le geste d'amour qu'il a posé à mon endroit à un moment où il aurait pu choisir de me faire mal et je sais aussi que l'univers le lui rendra. En même temps, je ressens un grand soulagement puisque tout est désormais clair entre nous.

Ce soir-là, nous avons fait chambre à part et j'ai eu l'étrange sensation d'être en train de couper le cordon ombilical qui me reliait encore à ma mère. J'avais fait mon premier choix d'adulte, en toute conscience, et ce choix dépassait largement le fait de quitter cet homme. C'était une nouvelle façon de vivre que je choisissais et j'allais devoir découvrir cette nouvelle vie. J'ai demandé à la Source de me guider vers ma lumière et je me suis endormie seule, épuisée et pourtant remplie d'espoir.

CHAPITRE 5

LE DÉPART

Certes, vous serez amenés à choisir. Définitivement. Ceci se présentera en vous, sans que le choix provienne du mental, de l'intellect ou de la volonté. Vivez l'expérience du mariage à trois et à un moment donné très précis de votre évolution, tout deviendra très clair, très clair.

- Nous allons regarder tes questions ensemble.

La femme devant moi me sourit d'un air bienveillant et toute la pièce semble tout à coup plus chaleureuse, plus humaine. J'ai été guidée vers cette médium qui canalise une voix à l'intérieur d'elle, une voix représentant la conscience universelle, ou tout simplement la Source. Nous sommes dans un hôtel de Sainte-Foy où elle s'installe lorsqu'elle vient d'Ottawa pour faire des rencontres individuelles. Elle précise qu'elle n'est ni une voyante ni une diseuse de bonne aventure, qu'elle est là pour nous donner un meilleur éclairage sur les situations présentes et qu'il est important de toujours retourner à nous-mêmes.

Nous regardons ensemble la dizaine de questions que j'ai préparées, dans l'espoir de mieux comprendre tous les soubresauts qui me secouent depuis bientôt quatre mois. Je fais de l'angoisse, j'ai peur d'entendre que je me suis trompée, que j'ai tout inventé. Elle est très calme, pleine de bonté et de compassion.

- Es-tu prête, Sylvie?

Oui, je suis prête. Nous méditons ensemble quelques minutes et je demande l'ouverture du coeur pour recevoir l'information.

- Il y a un besoin de passer à une autre étape très vite pour toi, non pas seulement dans ta relation avec ton époux mais aussi dans ta vie de tous les jours, dans la façon dont tu envisages la vie, dans la façon dont tu vis ta personne. Il y a un besoin de passer à un autre niveau d'évolution. Ça te fait peur, ceci te fait trembler presque à l'intérieur mais c'est un pas qui va se faire petit à petit à l'intérieur de toi.

L'émotion monte. Je pleure et je remercie mon âme d'être si bien comprise. J'éprouve un grand soulagement. Je ne suis pas folle. Je n'ai fait qu'être à l'écoute de ma voix intérieure, je n'ai fait qu'accomplir ce qui devait être accompli. Au fur et à mesure que les informations me sont transmises, une immense gratitude s'élève en moi. Je suis si ébranlée que je n'en reviens pas de me voir confirmée dans mes intuitions les plus fortes. Je ne suis donc pas que cérébrale. Je peux donc faire confiance en mon côté "yin", le célébrer pour ce qu'il me révèle sur moi.

- As-tu d'autres questions?

La chaleur de cette femme m'enveloppe. J'aurais envie de me faire bercer. Je suis réconfortée, apaisée et en même temps excitée par tout ce que je viens d'entendre. J'ai senti la vérité et la justesse de chacune des paroles qui arrivaient comme des rayons lumineux dans mon coeur. Mon plus grand bonheur est de savoir que le noeud karmique entre Michel et moi est dénoué. Je ne suis donc pas cn fuite, je n'essaie pas d'escamoter les difficultés d'une relation. Nous avons réalisé ensemble ce que nous avions choisi d'accomplir. L'amour entre nous deux prend maintenant une autre forme et je m'explique mieux ses réactions et les miennes.

Les messages reçus sont pour moi comme une bénédiction pour m'engager dans ma nouvelle vie. Au sujet d'Alain, il m'a été dit cssentiellement :

- Le karma entre vous deux est de réussir la relation en n'oubliant pas que la base de votre union est la spiritualité.

Des données importantes sur des vies dites antérieures vécues ensemble vont aussi nous aider à comprendre et à guérir des blessures qui semblaient s'ouvrir à notre insu. Je me sens encore plus près de cette âme soeur avec qui j'ai déjà eu dans unc autre vie une relation tellement belle que à la fin, c'était comme une fable. Et j'apprends avec une grande émotion qu'il est resté près de deux ans de temps terrestre à veiller sur moi, tout comme dans ce film que j'ai tant aimé: "Mon fantôme d'amour".

Je suis aussi confirmée dans mon pressentiment que je dois habiter seule pendant plusieurs mois. Pour développer l'amour de moi-même, me renforcer, accroître mon autonomie. Je suis heureuse d'avoir eu les bons réflexes et c'est dans la joie que je dis au revoir à ce guide terrestre qui m'a été envoyée pour ouvrir ma conscience et mon coeur davantage. Il est sûr que je vais la revoir, cette femme qui m'a redonné tout mon pouvoir en me mettant en contact avec mon essence. Je lui rends grâce et je rends grâce à la Source.

Cette rencontre si belle me place dans un halo de lumière pour quelques jours. Je me sens si bien, si totalement en accord avec moi-même que je me fais dire par plusieurs personnes de mon entourage que je rayonne. Le terme me semble judicieux parce que j'ai réellement l'impression de projeter autour de moi des rayons d'amour, ceux-là même que j'ai reçus lors de ma consultation et qui circulent maintenant dans tous mes corps. J'ai fait entendre à Alain les informations concernant notre relation et il est heureux lui aussi que tout ce qui nous pousse l'un vers l'autre ne soit ni le fruit du hasard, ni de simples coïncidences. Il s'agit plutôt d'une parfaite synchronisation entre nos deux âmes, de la reconnaissance des ponts de lumière qui nous lient déjà.

Après avoir hésité, j'ai aussi remis à Michel la cassette contenant toute la partie des renseignements qui peuvent l'aider dans son évolution. Le moment n'est pas propice pour la réception car ce geste de ma part est une confirmation de la justesse de notre séparation et il est muré dans le chagrin que cela lui cause. Pour le voir sourire, pour le voir heureux à nouveau, je voudrais parfois effacer l'automne qui vient de passer comme on effaçait le tableau de la maîtresse avec une grande brosse à l'école primaire. Parce que l'abandon réveille une douleur sourde en moi, parce qu'abandonner ou être abandonnée fait appel à la même souffrance, je deviens tour à tour victime, persécutrice et sauveteure. Ce qui m'étonne le plus, c'est de vivre parallèlement ou en même temps la peine et la joie, sans dissociation aucune. Je ne compartimente pas mes émotions, elles m'habitent et je les laisse couler.

Je poursuis ma thérapie avec une psychologue d'une grande compétence, qui m'amène à dénouer un à un les fils inextricables de ces émotions.

J'apprécie aussi dans cette période l'aide de mon amie de longue date, Esther, qui bien que résidant au Saguenay a toujours su être présente dans les moments importants de ma vie. Si elle ne partage pas nécessairement ma vision de l'incarnation et ma perception de notre mission sur la terre, elle fait cependant montre d'une ouverture d'esprit peu commune et respecte infiniment tous mes choix. Elle me répète souvent :

- Même si je ressens de la peine face à votre séparation, je suis convaincue que tu fais les choix justes pour toi, que tu poses les gestes nécessaires à ton évolution. Fais-toi confiance comme moi je te fais confiance.

Ces paroles me calment car j'accorde une grande crédibilité à cette amie si sage qui me connaît bien. À Québec, je suis aussi entourée d'amis des deux sexes qui ne me jugent pas et essaient de comprendre ce qui paraît incompréhensible de l'extérieur. Leur générosité est un retour extraordinaire d'énergie, une preuve éclatante que l'amour distribué gratuitement circule librement pour revenir à sa source.

Et pendant que j'alterne entre la lutte et "l'abandon à la grâce", Noël est à nos portes. Noël qui met toujours mon enfant intérieur à dure épreuve. Les retrouvailles en famille, les émotions d'enfance qui remontent et, cette fois, l'annonce de notre séparation qui va certainement surprendre nos parents au plus haut point. Cela va arriver comme un coup de tonnerre pour eux puisqu'ils ignorent tout de notre vie commune et de nos vies respectives.

- Nous allons leur annoncer ensemble notre décision.

Michel a exprimé tout haut ce que je souhaitais tout bas. Nous allons nous tenir par la main et faire face ensemble à la tempête que nous allons provoquer. Notre sérénité, notre détermination et notre respect l'un de l'autre seront nos meilleurs alliés. Je choisis cependant de prévenir mes parents dans l'intimité.

- Si tu as besoin de quoi que ce soit, nous sommes là pour toi.

Je regarde ma mère et je suis émue. Malgré le choc, malgré le deuil qu'elle ne fait qu'entrevoir, Michel étant devenu un fils adoptif pour elle au fil des années, elle tient à me signifier son appui. Devant cette femme de laquelle j'ai été séparée très tôt et longtemps, physiquement et émotivement, je ressens à nouveau la vibration de l'amour qui peut prendre de multiples facettes. Pour la première fois, je me pose vraiment en adulte devant elle et cette liberté nouvelle me permet de lui rendre son amour sans me sentir en danger.

- Tu n'as pas de problèmes financiers, au moins?

Ça, c'est mon père qui s'inquiète de ma "juste part" des biens. C'est sa façon à lui de dire à la fois son amour et ses manques. Je lui en ai voulu longtemps de son mutisme, de son retrait affectif mais je me sens aujourd'hui capable de le regarder avec tendresse puisque j'ai appris par expérience que "seul l'amour guérit". J'accepte maintenant avec reconnaissance l'expression de sa sollicitude.

Après cette annonce à mes parents qui me pesait lourd sur les épaules, tout va très vite. Noël donne lieu à une explosion d'amour à notre égard. Si mon frère et mes soeurs, mes belles-soeurs et mes beaux-frères sont surpris et chagrinés par notre séparation, notre tendresse mutuelle les apaise et les rassure. Ils n'auront pas à vivre le ressentiment, à choisir un camp. Je sais que nous avons représenté pour ces deux familles un lieu d'accueil, un phare dans certains cas. Le deuil n'est donc pas facile à faire et je le comprends aisément. Je reçois des témoignages qui me touchent et je console les uns et les autres à tour de rôle. Plus que jamais, je dois me convaincre qu'il n'y a pas de véritable séparation. Je sais que je ne ressentirai véritablement les absences qu'au fil du temps.

Après Noël vient le 31 décembre qui marque la fin de l'année 1993 et le début de 1994. Encore une fois, j'ai droit à un signe de l'Univers. Je trouve le langage des signes de plus en plus intéressant et éclairant. Alain doit revenir de son séjour dans sa famille le 28 décembre et souhaite me voir le 31 décembre. Or, j'ai beau téléphoner à son appartement, point de réponse. Entre le 28 et le 31, je dois donc faire un véritable travail de détachement, me préparer à entrer seule dans ma nouvelle vie. C'est difficile, je vis un double abandon car je comptais sur sa présence, mais je médite beaucoup et je reçois l'aide spirituelle nécessaire pour faire le vide tout en me respectant dans mes émotions.

Le jour du 31, je suis en paix et bien décidée à faire l'expérience de traverser l'année seule avec moi-même. J'ai demandé à tous mes guides de m'indiquer si j'avais à vivre des expériences avec Alain au cours de l'année qui vient. Son absence semble me dire que cela ne sera pas. En fin d'après-midi, je décide tout de même d'aller lui porter un message qu'il recevra à son retour. Par acquis de conscience, je sonne à sa porte. J'entends des pas, il ouvre. Cette fois, je crois bien que mes chakras s'allument tous en même temps. Je me souviens de cette phrase des anges Xedah : "Toutefois, le coeur parle et en présence de cet être, au plus profond de vous-mêmes, vous savez que vous y êtes."

- Tu es là?
- Ne t'avais-je pas dit que je reviendrais passer le 31 avec toi?

C'est donc vrai, il est mon âme soeur et nous sommes à nouveau guidés l'un vers l'autre. Ce soir-là, j'expérimente la joie pure. Nous écoutons des bandes enregistrées des conférences des anges, nous dansons, nous prenons du champagne, nous célébrons la réunion de nos âmes qui sont bien incarnées. Nous nous sentons accordés sur tous les plans, à la fois en fusion et en parfaite autonomie. Deux violons qui émettent les mêmes sons dans une harmonie parfaite. Notre relation se vit comme une amitié profonde car nous avons choisi en toute conscience et malgré notre attirance mutuelle de nous respecter dans notre besoin de nous donner tout le temps nécessaire pour apprendre à mieux nous connaître et à apprivoiser ce que l'on vit.

Après cette célébration, je trouve en moi le courage nécessaire pour franchir la dernière étape. En même temps que le retour au travail commence la recherche d'un appartement où, comme on me l'a si bien dit, je vais "vivre ma vie à moi, me comprendre, me connaître, commencer à vivre indépendamment des autres". Je dois passer à une autre étape, vivre mon évolution en étant près de moi-même pour trouver ce qui est juste pour moi. Je sens que le temps est venu de grandir, de faire mes propres choix et de vivre enfin l'amour de moi-même pour avoir plein de bonheur dans ma vie et le transmettre autour de moi.

Comme toujours lorsque je suis à l'écoute et que je sais faire silence à l'intérieur, je trouve facilement une réponse. Un appartement sur le bord du fleuve comme pour me ramener à mon identité de fille de la mer. Née sur une plage au bord de la mer, je vais retrouver une partie de la vision de mon enfance en regardant le gel et le dégel du fleuve, l'eau qui nettoie et nous ouvre la porte sur l'horizon lointain.

Le temps est venu de partir. Michel me confirme qu'il souhaite lui aussi mon départ pour se retrouver. Il va continuer d'habiter la maison qu'il a rénovée en grande partie et qui lui procure la sécurité nécessaire pour effectuer la transition. Mon appartement est meublé, j'apporte peu de choses, je sens que je dois tout laisser derrière moi. Je fais un dernier tour de chacune des pièces de cette maison cossue, la maison sous les arbres qui m'a si bien servie pendant les onze dernières années. Je quitte un confort douillet et bourgeois et j'emporte avec moi des souvenirs heureux et malheureux. Au moment de partir, ils deviennent simplement un flot de tendresse.

Tendresse envers Michel, envers la maison, envers le quartier si beau, envers les voisins si aimables. Sur le seuil de la porte, je regarde le chêne majestueux si bien enraciné et je lui dis merci de sa présence.

Devant moi, l'inconnu, le risque. Et aussi la liberté intérieure retrouvée, la certitude d'être à la bonne place au bon moment. Un nouveau départ.

CHAPITRE 6

LA TRANSFORMATION

Vous pouvez accomplir votre service à la Source avec une âme qui a choisi d'évoluer avec vous et utiliser cette énergie comme un propulseur.

- Que dirais-tu d'une semaine de vacances au soleil à Pâques?
- Ça m'intéresse. Je crois que je suis prêt à partir en vacances avec toi.

J'exulte. J'ai tant besoin de cette semaine de vacances et je n'osais rêver la passer en compagnie de mon âme soeur. Je sais déjà où nous irons. La Catalina, nom magique qui me trotte dans la tête et dans le coeur comme un mantra. Les vibrations sont sûrement très élevées là-bas puisque ce site de la République dominicaine, décrit souvent comme un petit paradis, est aussi le lieu choisi par les anges Xedah pour donner les formations en guérison spirituelle. D'autres guérisseurs et guérisseuses y donnent également des formations à l'occasion. Cet aspect ne fait qu'augmenter mon intérêt pour ce qui me semble surtout l'endroit rêvé pour prendre un repos bien mérité.

Je me sens de plus en plus connectée à mon âme soeur. Nous ne savons pas encore très bien dans quelle direction ce lien va nous mener mais nous sentons une poussée d'évolution de plus en plus forte et une communion spirituelle qui grandit chaque jour. À la mi-mars, nous avons reçu un "bodywork" (mélange de reiki, network et toucher intuitif) qui nous a fait le plus grand bien. Les deux guérisseuses, Kishori et Karen, travaillaient comme des soeurs jumelles, en harmonie totale. Leurs mains semblaient se poser magiquement au bon endroit sur nos corps pour faire le déblocage émotionnel et permettre à une énergie nouvelle et libératrice de circuler. Dans mon cas, cette expérience a créé une grande ouverture. Je me revois allongée et j'entends encore la voix de l'une de ces deux femmes :

- Ne retiens pas ta douleur. Tu n'en as plus besoin. Tu n'en auras plus jamais besoin. Laisse aller. C'est fini. C'est terminé. C'est bien, c'est très bien ainsi.

Les larmes avaient jailli comme un raz-de-marée et j'avais alors senti un grand nettoyage se faire à l'intérieur de moi, une purification profonde. De son côté, Alain vivait une expérience émouvante et cette première aventure ensemble nous avait beaucoup rapprochés. Nous étions maintenant prêts à passer à une deuxième étape que nous sentions confusément venir sans pouvoir la nommer.

La seule agence de Québec qui offre les forfaits pour l'auberge La Catalina est le Club Aventure. Comme l'auberge a très bonne réputation, il n'y a plus de place pour la dernière semaine de mars, notre premier choix. Heureusement, il y a encore deux sièges d'avion et deux chambres à l'auberge (les deux dernières!) pour la première semaine d'avril. Nous prenons donc les arrangements nécessaires pour transférer nos vacances et conclure la transaction avec l'agence de voyage.

Le soir où nous recevons nos billets d'avion, nous décidons d'aller au restaurant avec notre amie Ginette afin de fêter l'événement. Comme le hasard fait bien les choses et surtout comme il n'existe pas, il nous amène à rencontrer quelques personnes du groupe de méditation dont Ginette fait partie. Lorsque Monique, qui dirige le groupe en question et qui fait sa formation de maître en enseignement avec les anges Xedah, apprend que nous serons à La Catalina du 2 au 9 avril, elle s'exclame :

- Ah oui! Eh bien, moi aussi! Il y a justement une formation en guérison spirituelle avec les anges du 2 au 16 avril.

- Nous, on y va en vacances!

Monique me regarde, sourit d'un air complice.

- C'est ce que tu crois, que vous y allez seulement en vacances...

Que veut-elle dire? Je jongle un peu avec l'idée que ce n'est peut-être pas une coïncidence si notre voyage a été retardé d'une semaine et puis j'oublie ça pour ne songer qu'à la mer, au soleil, à la plage, aux fleurs et surtout au repos et aux lectures dont je me délecte à l'avance.

Mes amis les livres! Ils ont été à la fois mon évasion et mon ancrage, mon plaisir et mon apprentissage, quelquefois ma survie et d'autres fois les guides de ma vie. Je veux apporter avec moi un très bon livre. À la librairie, je me promène de rayon en rayon et je suis attirée par le titre *L'amour qui guérit*. Je me dis que ce serait un beau cadeau à offrir à une amie qui est à l'hôpital mais j'entends clairement ma voix intérieure me dire que ce livre est pour moi, que je dois le lire à La Catalina. Songeuse, je l'achète.

Je m'installe dans le silence de mon appartement et je dépose sur ma table de chevet le livre *L'amour qui guérit*. Juste à côté, il y a le livre de Marie Lise Labonté: *Ces voix qui me parlent*[5] . Je l'ouvre au hasard et je tombe sur la page 93. Je regarde et je lis :

> *"C'est l'histoire d'un gars qui abandonne tout, car sa vie ne lui plaît pas. Il part en voyage, rencontre son âme soeur par hasard; le hasard n'existant pas, ils se rendent compte qu'ils ont une mission commune et partent pour les Philippines étudier auprès des guérisseurs. Ils surmontent plusieurs épreuves, vivent l'apprentissage de l'amour inconditionnel d'où le titre "L'amour qui guérit", et lui devient guérisseur et elle médium."*

_____

5. LABONTÉ, Marie Lise, *Ces voix qui me parlent*, op. cit., p.93.

Je referme le livre, abasourdie. Si le hasard n'existe pas, je viens peut-être de recevoir le message que nous sommes guérisseurs. Je n'y crois pas encore mais je sais déjà que je viens de me faire confirmer une partie de notre mission.

Nous arrivons en République dominicaine par une nuit étoilée. Un minibus nous attend pour nous mener à La Catalina. Nous faisons le trajet avec deux gars qui vont faire la formation en guérison avec les anges Xedah. Ils sont sympathiques, nous parlent de leur cheminement. Nous avons l'étrange sentiment d'être en pays de connaissance.

Le réveil est magique. La Catalina est à la hauteur de sa réputation. La mer est devant nous, belle et majestueuse. Les fleurs et les arbres de toutes sortes, les petits lézards qui flânent, l'air doux qui circule, c'est Pâques, la résurrection, la vie nouvelle. Nous avons la chambre 24 où nous installons rapidement nos vibrations. Quel plaisir ce sera de méditer sur le balcon, en face de la mer. Il me semble que je peux méditer de façon beaucoup plus enracinée en créant un contact très étroit avec la nature luxuriante qui nous entoure.

Lundi midi. Nous sommes à La Catalina depuis un peu plus d'une journée et déjà je me sens dans un état de conscience semi-altéré. L'énergie est palpable, le calme est total, mais à l'intérieur de moi je sens quelque chose en latence, en préparation. Je ne saurais nommer ce "quelque chose" et je ne sais ni quand ni comment il se manifestera. Entre Alain et moi, l'amour circule plus librement car les résistances commencent à fondre et l'intimité à s'installer. C'est la première fois que nous "vivons ensemble" et ce voyage constitue en même temps un apprivoisement de la vie à deux.

Le groupe de personnes qui font la formation en guérison spirituelle est sur le point de partir pour la montagne afin d'y méditer en silence pendant une semaine et de se préparer à recevoir la suite de l'enseignement des anges. Je retrouve Monique qui me présente les autres membres du groupe. Il y a une grande familiarité entre nous, beaucoup d'amour qui circule. Je me sens en famille.

- Pourquoi ne vous joignez-vous pas à nous?

- Parce que nous ne sommes pas inscrits pour la formation et que nous sommes ici en vacances.

- C'est étrange, nous avons l'impression que vous faites partie du groupe.

Ça fait déjà trois personnes qui nous tiennent ces propos. Nous avons aussi ce sentiment d'appartenance au groupe et c'est avec un peu de tristesse que nous leur disons au revoir.

Alain et moi ressentons tous deux un malaise après le souper pourtant fort délicieux. Pour moi, ça va encore, c'est plus léger comme malaise, mais Alain me dit qu'il a l'impression d'avoir une bille au troisième chakra, comme si toutes ses émotions étaient coincées dans le plexus. Il n'est vraiment pas bien et, comme il n'est pas non plus en veine de partager parce qu'il ne comprend pas ce qui lui arrive, je finis par vivre du rejet et je m'endors sur beaucoup de peine et un peu de ressentiment.

Je me réveille avec les mêmes émotions et je me permets de les ressentir et de les laisser monter en moi. J'en parle à Alain au déjeuner et il voit un grand écart entre son intention et ce que je ressens. C'est certainement vrai mais je me sens surtout dans l'expérience de ce que je vis. Mon ressentiment est d'ailleurs disparu dès que j'ai pu l'exprimer. Après le déjeuner, nous retournons à la chambre pour méditer. Nous choisissons une méditation guidée par les anges, ce qui contribue à élever nos vibrations.

Fatigués de notre courte nuit qui a été plutôt agitée, nous décidons de nous coucher pour nous reposer. C'est alors qu'Alain commence à vivre des émotions intenses. Il pleure beaucoup et, au début, je crois qu'il fait un rebirth spontané. Je prie et je demande à être guidée dans mes interventions. Je pose mes mains à différents endroits sur son corps et cela semble l'apaiser quelque peu mais il tousse beaucoup, il est fatigué et il a beaucoup de soubresauts. J'ai tout à coup l'intuition profonde qu'il fait une poussée de kundalini et j'ai peur. Je connais peu de choses sur la kundalini, sinon que cette énergie vitale spirituelle logée dans le coccyx progresse selon une spirale montante ou descendante quand elle s'anime. Je sais aussi qu'elle peut parfois se manifester d'une façon violente. Je me souviens de ce que Marie Lise Labonté en dit dans son livre *Ces voix qui me parlent* et je me sens alors tout à fait impuissante devant ce que vit mon âme soeur. J'ai besoin d'aide, besoin d'être rassurée, besoin qu'on me dise qu'Alain n'est pas en danger.

Pendant que ma personnalité élabore à toute vitesse des scénarios et que je suis confrontée à mon attachement et au fait que le "sauveteur" en moi ne peut rien sauver, mon âme soeur que je viens à peine de retrouver souffre. Je m'impose le calme et le silence intérieur et j'entends alors bien distinctement : "Va chercher Marie Lise." Je dis à Alain que je reviens tout de suite et je passe outre à son regard qui ne veut pas d'aide. Je surmonte ma gêne, ma timidité et surtout mon malaise à l'idée de déranger une personne qui consacre la majeure partie de son temps à servir les autres et qui doit avoir besoin de son temps de repos plus que quiconque.

- Va à la piscine, tu la trouveras.

Je continue d'écouter ma voix intérieure. Ses messages sont si clairs que je me sens presque en état d'hypnose. Je me dirige donc vers la piscine pour y trouver une seule personne, allongée sur une chaise, un petit chapeau sur les yeux. Je m'approche de Marie Lise et avant même que je n'aie eu le temps de lui parler, elle soulève le petit chapeau et me dit en souriant :

- Bonjour.

- Bonjour. Je m'excuse de vous déranger mais j'ai besoin d'aide. Je crois que mon ami fait une montée de kundalini.

- Qu'est-ce qui te fait croire ça?

Je lui explique brièvement les symptômes qui m'ont amenée à croire à une manifestation de ce feu sacré.

- Je crois en effet qu'il s'agit bien de la kundalini.

Je viens tout de suite à votre chambre.

Je suis soulagée, reconnaissante. Marie Lise ne fait pas que parler de l'amour inconditionnel. Elle le vit. Je retourne à notre chambre où elle vient rapidement me rejoindre. Alain a senti un craquement important dans sa colonne pendant mon absence et puis, plus rien. Il a l'impression de s'être coupé complètement de son énergie.

- Est-ce que mon énergie te dérange?

Marie Lise est respectueuse et attentive. Je sens qu'Alain est heureux qu'elle soit là, même s'il est mal à l'aise qu'elle se soit dérangée pour lui. Chaleureuse et efficace, elle me demande d'aller à la cuisine chercher deux oranges et de l'eau salée dans un bac. Je m'exécute sur le champ, comme une assistante. Je tiens par-dessus tout à me rendre utile. Je me sens bien centrée mais j'ai peur de ne pas être à la hauteur, comme d'habitude.

Lorsque je reviens, Marie Lise place les deux oranges dans les mains d'Alain pour aider l'énergie à entrer dans la matière. Elle l'aide à déplacer son énergie qui a recommencé à circuler avec force et lui demande de s'abandonner, de laisser son corps faire car il sait bien ce qu'il a à faire. Je suis encore une fois impressionnée de la grande capacité d'abandon d'Alain. Il semble manipuler cette énergie sacrée comme s'il avait fait ça toute sa vie ou dans bien d'autres vies. Je me sens plus en confiance, avec la présence de Marie Lise. Elle me dit de prendre de l'eau salée et d'attirer l'énergie vers le bas d'une façon consciente, en lui prenant les talons et les pieds et en prenant soin de bien m'enraciner.

- Peux-tu aller à la cuisine leur demander de faire cuire du riz? Alain devra en manger avec du poivre de cayenne que je vais lui apporter. Il faut aussi traiter le feu par le feu.

Je m'acquitte consciencieusement de mes tâches et Marie Lise revient avec un seven-up afin de permettre à Alain de s'hydrater. Elle nous recommande également la bière avec du sel et, surtout, une douche froide pour Alain dès qu'il se sentira en mesure de se lever, toujours dans le but de faire descendre l'énergie vers la terre. L'eau doit couler sur la tête, les paumes des mains et le long du canal.

Je me sens comme un témoin actif privilégié qui doit emmagasiner l'information. Puisque tout a un sens, puisque chaque événement que la vie nous envoie a un but bien précis, cette expérience me servira certainement à nouveau. J'enveloppe mon âme soeur de tout mon amour et le remercie de ce cadeau. Il va beaucoup mieux et Marie Lise peut nous quitter. Après son départ, nous remarquons qu'Alain a le dessus des pieds rouges, comme s'ils avaient été brûlés. Il s'agit donc bien du feu et ce feu sacré peut brûler et consumer autant qu'il peut élever et purifier.

Nous sommes tous les deux épuisés mais étrangement calmes et emplis d'un bien-être particulier, comme celui que procure le vide plein. Je sais que nous vivons un moment crucial de notre évolution et je repense aux mots de Monique : "C'est ce que tu crois, que vous y allez seulement en vacances." Je commence à me demander s'il est possible de vivre "seulement des vacances" à La Catalina. D'autant que je sens que tout ne fait que commencer et que la manifestation de Marie Lise dans notre vie est surtout le présage et le symbole d'un changement beaucoup plus profond, d'une rencontre à venir avec les anges.

Les journées suivantes sont parfaites et se déroulent au rythme de l'amour qui grandit de plus en plus entre Alain et moi. La kundalini d'Alain s'est apaisée et autour de nous tout baigne dans le silence qui permet d'entendre la nature. L'harmonie règne partout, autour de nous, en nous et entre nous.

Dans la nuit du jeudi 7 avril, je fais un rêve qui me trouble. Je vois une grande pancarte sur laquelle est écrite la phrase suivante :

- Vous devez faire la formation en guérison spirituelle.

J'entends également des voix qui me le répètent et qui ajoutent que l'enracinement dans mes chakras inférieurs est essentiel à mon évolution, de ne pas en avoir honte. Est-ce vraiment un rêve ou est-ce un message de mes guides?

Serait-ce un message "en direct" des anges? Je chasse vite cette idée, ne me sentant pas digne d'une telle visite. Je peux plus facilement me persuader qu'il s'agit de mon ego, de mon mental, que je m'invente des histoires. Je doute maintenant de moi et je suis malheureuse de ce doute mais j'ai peur de me laisser aller et que tout ne soit qu'illusion et tromperie. Où est la vérité? Dans ces voix que j'entends de plus en plus ou dans la froide logique de ma raison? Je m'aperçois que j'ai une peur viscérale du jugement des autres, peur du regard posé sur moi. J'entends déjà : "Elle est complètement folle." Au Moyen-Âge, on les brûlait; aujourd'hui, on les ridiculise. La peur ne m'a jamais paralysée dans l'action, elle a plutôt agi comme un catalyseur dans ma vie, mais aujourd'hui elle fait remonter de très vieilles blessures et je ne sais si je saurai la surmonter.

Je trouve une partie de ma réponse le samedi matin sur la terrasse. C'est le jour du départ pour Québec. Des amies de Marie Lise déjeunent ensemble et je leur demande des renseignements sur la formation. Je fais la connaissance de Sarah Diane, avec qui je me sens tout de suite en confiance et à qui je raconte mon rêve. Ça la fait rire que je doute car le message lui apparaît très clair. Les trois filles me disent de faire confiance en mes voix et ça me rassérène quelque peu.

Le midi nous amène une dernière fois à la salle à manger de l'auberge. Cette fois, c'est avec Sylvie, ou Luna de son nom spirituel, que nous avons l'occasion d'échanger. Nous sommes tristes à l'idée de partir et elle illumine notre dernier repas à La Catalina en nous communiquant son cheminement avec une grande simplicité. D'abord directrice de transe de Marie Lise, elle a suivi les formations des anges et son âme soeur a suivi le même chemin par la suite. Ils se consacrent maintenant tous deux à la guérison spirituelle de différentes façons. Elle me dit de ne jamais douter de mes voix, que je suis bien guidée. Elle ressent que j'ai une grande ouverture, que je suis consciente et que je peux ainsi amener Alain assez loin sur le chemin de la spiritualité car il a un grand potentiel "inconscient", ce qui, semble-t-il, est préférable pour le moment.

Cette belle rencontre nous aide à accepter tout ce qu'on a vécu dans cette semaine intensive. Nous quittons La Catalina avec un livre sur les conférences des anges Xedah dans nos bagages et, dans nos coeurs, la certitude que nous allons y revenir.

CHAPITRE 7

LA GUÉRISON

La connexion de deux âmes soeurs dans cette existence a pour effet d'intensifier la lumière des ponts et d'augmenter le nombre de ponts lumineux. Il y a propulsion de l'évolution de chacune des âmes vers un but supérieur : servir la Source.

Je retrouve le parfum de la République domini-caine avec un plaisir non dissimulé. La moiteur de l'air me réconforte après la grisaille du mois de novembre à Québec et j'exprime mon ravissement par maints sourires et soupirs de satisfaction. Huit mois ont passé déjà depuis notre séjour à La Catalina et nous voilà revenus pour une semaine de formation en guérison spirituelle[6] qui sera suivie de deux semaines de vacances. Après Pâques, c'est Noël que nous fêterons dans cet endroit choisi par les anges pour la qualité de ses vibrations.

Alain et moi retrouvons avec plaisir l'auberge et ses dédales de petits corridors extérieurs aménagés avec un goût exquis pour vous donner l'impression d'avoir retrouvé le paradis. Les hibiscus de toutes couleurs sèment l'abondance sur leur route et les oiseaux-mouches travaillent avec ardeur à se nourrir, se laissant admirer sans vergogne.

Pendant que nous nous prélassons en attendant de

---

6. PRÉVOST, Ninon et LABONTÉ, Marie Lise , *La guérison spirituelle angélique*, Les éditions Shanti, St-Jean-sur-Richelieu, 1995.

retrouver les autres membres du groupe de formation pour la première méditation commune du soir, je revois les événements marquants de notre vie depuis Pâques. Un deuxième rendez-vous avec la médium rencontrée une première fois en décembre nous a éclairés davantage sur notre chemin commun et nos voies individuelles. Par la suite se sont succédé le choix de vivre ensemble en juillet, "l'officialisation" de notre union auprès de nos familles et amis, la fin de ma thérapie et finalement la décision de faire la formation en guérison spirituelle, après confirmation que c'était bien inscrit dans nos plans de vie. À cela se rajoute la perspective exaltante de faire bénir l'union de nos âmes par les anges au cours de la formation.

- Comment te sens-tu à l'idée de faire la formation?

- Pour être honnête, j'éprouve des sentiments contradictoires.

Je suis bien sûr excitée par l'idée d'entrer en contact plus "directement" avec les anges et j'ai très hâte de faire l'apprentissage du traitement de la ligne médiane des corps subtils[7]. En même temps, je sens mes peurs qui remontent, mes doutes qui refont surface.

En effet, je suis surprise de voir mes vieux démons resurgir, comme si d'approcher de plus près la lumière me branchait en direct sur mon ombre. J'essaie de ne pas lutter, d'accueillir et de reconnaître cette ombre comme un outil d'évolution, en espérant que mon ego gagnera en transparence au cours de la semaine.

On fait connaissance avec le groupe. Comme dans

---

7. Les corps subtils font référence ici aux septs enveloppes d'énergie vibratoire qui entourent le corps physique. Chaque corps subtil est traversé de haut en bas par une ligne médiane qui, telle une rivière, circule le long de la ligne des chakras.

tout groupe, j'ai des sympathies plus spontanées et des réserves qui vont faire travailler ma personnalité. Je suis contente que Sarah Diane soit présente car je me sens près d'elle sans la connaître. Les assistants et assistantes m'inspirent également confiance et je me sens prête à ouvrir mon coeur et ma conscience pour recevoir l'enseignement. La première méditation du soir m'aide à me centrer, c'est si facile d'être guidée par les anges et de se laisser envelopper dans leurs vibrations d'amour inconditionnel. Je suis émue de les rencontrer à l'intérieur d'un si petit groupe, je me sens privilégiée et pas encore sûre d'être digne d'un tel privilège.

Sept heures! Nous nous réveillons le coeur en fête et nous nous préparons à aller rejoindre le groupe pour une séance de chi spontané. J'aime bien faire du chi, sentir l'enracinement de mes deux pieds dans le sol et laisser l'énergie monter et danser en moi, m'amener avec elle dans le mouvement, de telle sorte que je sois unie avec ce mouvement et que je ne sache plus si c'est moi qui le porte ou si je suis portée par lui. Le plus merveilleux ici, c'est que cet exercice d'enracinement se fait pieds nus dans la rosée du matin. Il fait beau, et ce qui paraît tout à fait normal aux habitués des lieux contribue à augmenter le plaisir de la Québécoise nordique que je suis.

Après mon déjeuner favori, yogourt tiède avec des graines de céréales, je me sens tout à fait prête à commencer la formation. Je demande à mon cerveau gauche de lâcher prise, de s'ouvrir simplement à de nouvelles informations.

Marie Lise et Nataraj arrivent après la méditation dirigée par une assistante pour nous aider à nous recueillir et à élever nos vibrations. On nous transmet le programme et l'horaire de la semaine mais il y a une possibilité de petits changements car il semble bien que les anges adorent nous déstabiliser.

- L'intervention que vous allez pratiquer est une intervention de guérison qui transmet de la lumière pour aider une lumière déjà existante. Vous intervenez directement sur la ligne médiane des corps. C'est une action curative, thérapeutique pour créer des ouvertures afin que la lumière entre et s'installe.

Transmettre de la lumière. Éliminer la source des blocages. Quelle joie! Mais en serai-je vraiment capable? Habituée à performer pour être acceptée, pour me faire aimer, j'ai développé un jugement critique à mon égard qui m'amène souvent à nier mon essence divine et, par le fait même, mon pouvoir intérieur. Je ne saurai sans doute pas poser les bons diagnostics et faire les interventions requises.

Les anges doivent deviner les doutes qui me rongent car je les entends :

- Si vous jugez la façon dont vous intervenez, vous bloquez immédiatement le processus.

J'ai compris! Tout comme il y a nécessité absolue de se placer dans un espace d'amour inconditionnel pour pratiquer une intervention sur un sujet, il y a aussi nécessité d'utiliser cet amour inconditionnel envers soi-même d'abord. Le temps est venu de cultiver l'humilité si je veux élever mes vibrations pour canaliser l'énergie divine. Le processus de transformation de mon âme vient de se mettre en branle et je comprends que je suis venue chercher ma propre guérison à travers la formation. Au cours de la semaine, différents enseignements et certains rituels sacrés vont peu à peu faire de moi un "canal initié". Cependant, la base de cette initiation demeurera toujours pour moi le contact avec l'amour inconditionnel que m'ont permis d'expérimenter les anges.

La formation est rigoureuse, très bien structurée. J'en suis heureuse, cela augmente ma confiance. L'enseignement des anges est d'une grande précision et d'une clarté totale. Marie Lise, Nataraj et les assistants et assistantes complètent, traduisent, mettent en images et répondent à nos nombreuses questions. L'accent est rapidement mis sur l'expérimentation puisque plonger au coeur de l'action est manifestement la meilleure façon d'apprendre. Pour me rassurer, je me répète cette phrase :

- N'attendez pas d'être "l'être parfait" pour donner une intervention.

Je me centre, je crée un espace d'amour inconditionnel à l'intérieur de mon être et j'écoute l'âme du sujet qui m'indique quels sont les blocages qui entravent la libre circulation de la lumière. J'essaie de ne pas comparer ma façon de recevoir l'information avec celle des autres. Certains d'entre nous voient, d'autres ressentent ou entendent : les possibilités sont multiples et il n'y a pas de jugement qui tienne. Je suis pour ma part aussi surprise qu'heureuse d'entendre les anges confirmer la lecture d'un diagnostic que j'ai posé. Alain et moi découvrons avec émerveillement le pouvoir de nos mains de guérisseurs et échangeons sur nos moindres picotements, chaleurs ou autres signes que nous découvrons dans la pratique. Nous sommes des miroirs l'un pour l'autre et, en nous reflétant mutuellement notre essence divine, nous nous stimulons dans notre croissance spirituelle. Il nous apparaît de plus en plus clairement que notre rencontre ne doit pas servir un plan égotique mais nous propulser vers des plans supérieurs.

Nous continuons de recevoir des cadeaux. Le plus beau pour moi est sans doute le don de mon nom spirituel. Je me réjouis à l'avance de la sonorité de ce mot qui transporte ma vibration, qui correspond à mon identité réelle, beaucoup plus large que celle dans laquelle je me suis confinée jusqu'à maintenant. Ce soir-là, je suis dans le cercle que nous formons en groupe et j'attends avec ferveur et recueillement de recevoir mon cadeau. Les anges nous ont informés que nous aurions notre nom spirituel mais que la signification de ce dernier ne nous serait transmise qu'à la fin de la formation.

Je suis enveloppée d'une onde d'amour tellement puissante que j'ai envie de pleurer. Cet amour a le pouvoir de faire fondre mes résistances, de m'amener à la rencontre de mon âme, de m'unir au divin en moi. Comme dans un rêve éveillé, j'entends les anges :

- Sandah, qui signifie sable divin.

Je réalise à peine que j'ai eu non seulement mon nom spirituel mais bien aussi le sens qu'il porte avec lui. Moi qui suis née et ai grandi sur le bord d'une plage, face à la mer, j'emporte mon nom avec moi comme un trésor. Il chante en moi comme un mantra et pendant que les larmes roulent sur mes joues sans retenue, je me demande pourquoi je suis la seule participante qui ai reçu la signification de son nom. Je me dis qu'il doit bien y avoir une raison et je médite là-dessus. Je me sens indigne d'un tel cadeau, je refuse d'avoir été choisie puisque je me sens la "moins bonne". Je suis habituée de travailler très fort pour obtenir quelque chose et je crois qu'il faut toujours mériter ce qu'on a.

- Et si c'était gratuit?

Ma petite voix intérieure vient de m'interpeller. Tout à coup, je comprends la leçon d'amour que m'ont donnée les anges. Une autre leçon d'amour inconditionnel. Le cadeau comme une offrande en toute simplicité de coeur, un clin d'oeil pour me déstabiliser dans mes croyances, un geste symbolique pour m'ouvrir le coeur, pour m'apprendre à recevoir et à donner sans but, dans la libre circulation de l'amour. Je pleure de plus belle, moi, l'enfant mal aimée qui ne sait pas reconnaître et accueillir l'amour. Je pleure et ces larmes me nettoient, me purifient.

L'enseignement se poursuit, l'expérimentation aussi. Et dans mon cas, la désintoxication accompagne l'expérience. Je me sens heurtée de plein front dans mes croyances. La déstructuration s'installe. Je touche les lignes médianes des corps subtils, je reçois les vibrations de ces différents corps, j'entends les messages qu'ils me donnent et pourtant, au fond de moi, une résistance que je ne sais pas nommer subsiste. Je n'arrive pas à vivre l'abandon total.

- Veux-tu aller souper et danser avec le groupe?

J'essaie péniblement de me relever mais j'ai encore des nausées. Mon âme soeur me regarde avec tendresse et un peu d'inquiétude. Lui aussi vit ses résistances et ses contradictions et je suis là à quémander son attention et ses soins. Je me suis soudainement sentie très mal en fin d'après-midi, au retour de la plage où nous avions reçu une deuxième initiation pour unir nos mains, notre coeur et notre conscience. Étape importante dans la semaine de formation, cette initiation sera suivie, après la soirée en groupe, d'un 24 heures de silence et de méditation pour nous préparer à faire les traitements requis, à partir des diagnostics établis.

- Je crois que je ne suis pas assez bien pour aller souper et danser avec le groupe.

- Dans ce cas, je reste avec toi.

Je suis soulagée parce que je me sens vraiment très malade. De peine et de misère, je me rends à la salle de bain où je commence à vomir. Je suis si faible que je dois me coucher sur le carrelage, coincée entre la toilette et l'évier. Alain essaie de me ramener sur le lit, la tête me tourne et je retombe au sol. Il va chercher des couvertures et un oreiller et s'installe près de moi. Tout vacille pour moi. Je vomis régulièrement, j'ai mal à l'estomac, j'ai mal partout, je me sens vidée, j'ai froid, j'ai peur. Je vois Alain qui tente d'énergiser les lignes de mes corps subtils, qui me fait du reiki. Il essuie mon front et humecte doucement mes lèvres. J'ai de la peine pour lui car je suis incapable de le rassurer sur mon état.

J'ai complètement perdu la notion du temps. C'est le silence autour de nous. Je vis un abandon profond. Ils sont tous partis à la danse, même les anges m'ont abandonnée. Seule mon âme soeur continue de veiller sur moi et de prier. Je suis épuisée de lutter et tout à coup j'abandonne complètement le combat. Je veux retourner d'où je viens et je commence le voyage du "retour chez moi".

- Tu dois rester ici.

J'entends Alain de très loin. Je n'ai plus la force de continuer, mon âme veut partir. Je commence une longue descente en moi et puis je réalise qu'il n'y a pas d'accès. Mon âme déprime jusqu'à ce que je comprenne clairement que je dois revenir parce que j'ai quelque chose à faire ici. C'est à ce moment que je choisis à nouveau ma mission et que je commence à demander de l'aide, à m'élever. Lentement, les portes commencent à s'ouvrir et je réunis toutes mes forces pour choisir le retour à la vie terrestre. Le combat est âpre, c'est réellement une question de vie ou de mort. Je m'accroche au fil qu'Alain me tend, à l'amour qui émane de lui. Je sais que nous avons besoin l'un de l'autre pour accomplir notre mission et je lui suis reconnaissante d'être là.

Au moment où ma souffrance prend de l'ampleur et semble paradoxalement balayer toute mes résistances, j'entends du bruit à l'extérieur et en même temps la voix des anges Xedah me murmure : "Nous sommes arrivés." Je pleure de soulagement et de joie : je ne suis pas abandonnée, je suis entourée de guérisseurs et de guérisseuses. Alain ouvre la porte et je suis invitée à recevoir l'énergie de guérison et d'amour inconditionnel qui passent par les mains de lumière des deux assistantes venues auprès de moi.

À travers l'opération des chakras et la régression[8], je viens à la rencontre de ma propre lumière, j'accepte enfin mon côté divin. Je sais que d'expérimenter la guérison spirituelle sur moi-même va me conduire à un engagement très profond, va m'amener à m'ouvrir, à recevoir, à donner, à être un instrument pour l'univers. Je choisis à nouveau et de façon plus consciente et plus totale la force de la vie dans l'amour inconditionnel.

---

8. La régression dans les vies antérieures et dans la vie présente permet d'entrer en contact avec des mémoires qui nous limitent, dans le but de guérir ces dernières.

CHAPITRE 8

L'UNION

Les deux âmes se supportent dans l'évolution de la lumière en s'accueillant totalement, en pratiquant l'un envers l'autre l'amour inconditionnel et l'action de ces deux âmes créera une propulsion d'amour beaucoup plus grande dans l'inconscient collectif et les âmes qui s'unissent ainsi accentuent la lumière beaucoup plus rapidement que s'il n'y a point d'union.

C'est le 16 décembre 1994. Dernière journée de formation, c'est aussi pour Alain et moi une journée sacrée, celle qui va voir l'union de nos deux âmes bénie par les anges. Nos méditations de troisième oeil à troisième oeil et la semaine de formation en guérison spirituelle nous ont aidés à connecter nos deux âmes, en augmentant la puissance de l'intention. L'union du coeur et du troisième oeil crée l'intention et l'intention amène l'action, disent les anges. Notre intention est claire : nous soutenir mutuellement pour mieux servir la Source en accomplissant notre mission sur la terre. Accomplir notre mission signifie pour nous de conti nuer à nous guérir en reconnaissant et en intégrant notre lumière, et en réveillant l'amour inconditionnel qui sommeille au fond de notre âme, de telle sorte que nous puissions répandre cette lumière et cet amour autour de nous, dans la compassion la plus totale.

Nous nous réveillons très tôt, mon âme soeur et moi. Le rituel de l'union commence avec le lever du soleil pour se terminer au coucher du soleil. Il commence et se termine sur une plage, face à la mer. Je vais renaître de la même façon que je suis née, sur une plage, face à la mer. La mer qui devient notre mère et qui, en nous accueillant dans son sein, nous apporte la guérison et la purification.

- Es-tu prête pour l'union?

Alain est heureux et grave. Je sens que cet engagement libre est aussi important pour lui que pour moi. Nous nous sommes reconnus, nous nous sommes choisis et nous avons maintenant envie d'aider nos âmes à connecter le petit point lumineux qui nous aidera à intensifier la lumière des ponts entre nous et, si possible, à augmenter le nombre de ces ponts lumineux. Je me sens prête à vivre l'union de nos deux âmes.

La vie nous fait le cadeau d'un lever de soleil majestueux. Ensemble, nous le voyons sortir des nuages pour se lever sur la mer et il entre dans nos coeurs pour la journée. Le recueillement de l'aurore nous prépare également à l'action. C'est aujourd'hui que nous traiterons pour la première fois des sujets "extérieurs au groupe en formation". Jumelés en équipe de deux, nous interviendrons sur ces personnes qui ont choisi de venir nous voir pour recevoir une guérison spirituelle. C'est avec mon âme soeur que je vais expérimenter la foi en la grâce qui nous habite et plonger à nouveau au coeur de l'action. Retrouver la guerrière de lumière qui sommeille en moi.

La jeune femme qui vient vers nous est belle. Elle dégage une grande douceur et une simplicité du coeur qui lui donnent un rayonnement. Alain et moi prions pour être des canaux d'amour inconditionnel et lui faire ainsi un traitement approprié. J'installe mes "triangles d'enracinement" et j'attends de me sentir comme un arbre dont les racines s'enfoncent profondément dans la terre. J'ai besoin de sentir cet enracinement pour élever mes vibrations en toute sécurité.

Je regarde Alain avec qui je me sens dans une totale communion de coeur, d'âme et d'esprit. Il hoche la tête, on peut commencer. Après l'ouverture du corps physique - c'est la seule fois où nos mains touchent le corps physique pendant l'intervention - nos mains passent sur la ligne médiane du premier corps, observant et ressentant de diverses façons la largeur de la ligne, sa fluidité, les obstacles qui se dressent sur son parcours[9] . S'abandonner, faire confiance, ne pas douter pour ne pas arrêter le processus. Nos diagnostics concordent. Les anges passent, confirment et nous disent de passer à l'action. L'heure n'est plus aux tergiversations, c'est le temps du grand saut dans le vide, à la grâce de Dieu.

Nous agissons en silence, nos yeux se parlent et nos mains de lumière travaillent. Quand je regarde Alain, je le vois transformé. Il a retrouvé son âme de guérisseur, il est dans un espace sacré et, dans cet espace, il est plus beau que jamais parce qu'il semble en harmonie totale avec son être. Je comprends que tout ce

---

9. PRÉVOST, Ninon et LABONTÉ, Marie Lise, *La guérison spirituelle angélique*, op. cit.

qui nous arrive a un sens et j'accepte avec humilité de m'ouvrir davantage à l'amour qui circule en nous et entre nous. Mon coeur semble s'agrandir, il n'y a plus de jugement, plus de résistance. Je dialogue avec l'âme de la patiente, la remercie de nous aider. Le traitement achève, nous descendons un rideau de lumière autour de la jeune femme et je sens l'énergie se manifester par des pétillements, une chaleur dans les mains, une présence vibratoire. La jeune femme repose, sereine et détendue.

L'après-midi s'en va tranquillement à la rencontre du crépuscule. Je mets ma belle robe blanche, cadeau de mon âme soeur pour cette journée d'union. Alain est en blanc lui aussi. Il a l'air d'un marin et je suis émue de le voir ainsi vêtu. J'ai l'impression que nous partons ensemble pour un grand voyage. Le ciel est d'un bleu immaculé et je me sens moi aussi immaculée. À la fois vierge et femme.

Tout le groupe nous accueille avec chaleur, les bras chargés de fleurs d'hibiscus de toutes les couleurs. C'est une grande fête, la joie éclate de partout. Dans l'autobus qui nous mène à la plage pour la clôture de la formation et le rituel de célébration de l'union, les vibrations sont élevées et joyeuses. Alain et moi sommes dans une bulle d'amour et cette bulle est immense, elle bouge et danse et rit et se promène partout dans l'espace. Tout à coup, un chant s'élève, c'est le mantra Om Namah Shivaya, JE SUIS CE QUE JE SUIS. L'un de nos compagnons, Maurice, sort sa musique à bouche et nous accompagne dans l'expression du son. Les vibrations sont célestes, je goûte encore une fois l'amour inconditionnel et je pleure de sentir tout cet amour à l'intérieur de moi.

L'arrivée à la plage se fait dans les rires et le plaisir. Nous sommes conviés à un banquet. Ce sont les derniers enseignements des anges, la remise de nos diplômes et, autre cadeau des anges, le droit pour chacun et chacune d'entre nous de leur poser une question personnelle. Alain les interroge sur les liens qui nous unissent et ils nous confirment que nous avons vécu "maintes et maintes vies ensemble" et que nous avons choisi de revenir sur terre et de nous retrouver pour travailler à notre évolution et contribuer à répandre la lumière sur la planète.

La cérémonie de l'union commence. Tout doit se terminer avant que le soleil se couche. J'échappe mon jonc dans le sable, ce qui fait sourire les anges qui disent :

- Il est retourné au sable divin.

Ce jeu de mots avec mon nom spirituel me ravit, je suis dans un état altéré de conscience depuis le début du rituel. Le contact avec les vibrations angéliques me remplit toujours d'un sentiment ineffable, mélange d'amour, de douceur et de grâce. J'existe dans mon essence, mon soi. Plus besoin de paraître, les artifices s'envolent. Je suis en contact avec mon être divin, mon âme soeur, les anges Xedah et l'univers entier.

- Vous êtes et vous demeurez des êtres totalement libres. Cette union est une protection supplémentaire pour vous.

Le soleil disparaît lentement. Le crépuscule jette un dernier rayon avant que la nuit ne nous enveloppe. Ensemble, mon âme soeur et moi allons porter à la mer le voile blanc qui nous recouvrait pendant le rituel de l'union. Main dans la main nous revenons vers le groupe et, dans mon coeur, j'ai la certitude que nous venons de créer un pont lumineux dans l'univers.

Je prie pour que cette lumière s'accentue et crée à son tour une propulsion vers l'amour inconditionnel dans nos deux âmes, puisque tel est le sens de la rencontre de deux âmes soeurs d'évolution.

ÉPILOGUE

Confortablement calée sur mon siège d'avion, je me laisse flotter dans l'espace comme l'oiseau blanc métallique qui nous ramène vers Québec, mon âme soeur et moi. Suspendue entre ciel et terre, je saisis cet espace-temps privilégié pour faire le point sur les changements survenus dans ma vie depuis notre rencontre. J'installe le silence en moi et je laisse monter les images, les réflexions, les émotions.

Je suis d'abord étonnée de me sentir aussi enracinée dans cet espace aérien. Cette sensation agréable et plutôt nouvelle pour moi est certes liée à mon cheminement avec mon âme soeur. Notre rencontre m'a en quelque sorte forcée à choisir et à construire l'enracinement en m'amenant continuellement à faire les meilleurs choix pour mon évolution. Tout se bousculait si vite pour moi que j'ai dû trouver l'ancrage intérieur et extérieur pour ne pas basculer.

Le contact avec la terre, la force de la nature, a pris alors une importance vitale et m'a aidée à explorer en toute sécurité le territoire illimité que j'habitais. Fouler le sol de mes pieds en toute conscience était un bon moyen de tracer mes frontières pour mieux les transcender. J'apprenais davantage à m'affirmer dans mes besoins et désirs les plus profonds, et le non-jugement d'Alain à mon égard me donnait la confiance nécessaire pour risquer, pour oser l'impossible. La leçon de vie commencée avec l'âme soeur de désintoxication prenait un essor considérable dans le contact avec l'âme soeur d'évolution.

- Tu vas bien?

Pour toute réponse, je souris à mon âme soeur qui me comprend sans parole. Oui, je vais bien. De mieux en mieux. Je réalise la chance que j'ai, moi qui n'ai pas demandé consciemment à rencontrer mon âme soeur. Il est venu vers moi comme un cadeau du ciel et je suis emplie de gratitude. En retour, je prends l'engagement ferme de tout mettre en oeuvre pour que notre relation continue à croître dans la joie et l'amour inconditionnel. En cultivant notre grande acceptation l'un de l'autre, nous pouvons être davantage dans l'acceptation de notre incarnation. Ainsi, nous serons plus en harmonie avec le choix de nos âmes venues habiter des véhicules terrestres pour vivre des expériences évolutives sur terre.

Notre histoire n'est pas un conte de fée. Nous ne pourrons donc pas compter sur Merlin l'enchanteur pour résoudre nos problèmes d'un coup de baguette magique. Toutefois, avec l'âme soeur, tout devient possible. Possible de remplacer la compétition par l'entraide mutuelle et la compassion, de pratiquer le détachement et la transparence, de tisser solidement les liens du coeur, de l'esprit et de l'âme. Possible également d'être deux dans le recueillement et dans l'accueil fait aux autres, dans le partage de nos connaissances et de nos expériences et, surtout, dans le service à la communauté accompli dans l'ouverture du coeur. C'est ainsi que notre amour pourra rayonner de lui-même et intensifier la lumière dans l'univers.

- Bouclez vos ceintures et redressez le dossier de votre siège. Nous allons commencer dans quelques minutes notre descente vers Québec.

Pendant que le pilote amorce cette descente, je remercie l'Univers pour toute la grâce de l'expérience vécue avec mon âme soeur. La petite voix désormais bien connue me souffle alors de ramener sur terre et de transmettre aux autres l'essentiel de cette expérience. Et commence alors à germer tout doucement, dans mon esprit, ce livre que je vous ai offert aujourd'hui.

BIBLIOGRAPHIE

RENCONTRE AVEC LES ANGES, Les anges Xedah, Les éditions Shanti, Knowlton, 1994 (recommandé : le chapitre "Les âmes soeurs", p. 88).

LES ANGES XEDAH, tomes 1 et 2, collection channeling, Louise Courteau, éditrice, Montréal, 1990-1992.

LABONTÉ, Marie Lise, *Ces voix qui me parlent*, Les éditions Shanti, Knowlton, 1993.

LABONTÉ, Marie Lise, HOSEIN, Francis et POMERLEAU, Sarah Diane, *La médiumnité, cette terre inconnue*, Les éditions Shanti, Knowlton, 1994.

PRÉVOST, Ninon et LABONTÉ, Marie-Lise, *La guérison spirituelle angélique*, Tome 1, Les éditions Shanti, St-Jean-sur-Richelieu, 1995.

POMERLEAU, Sarah Diane, *L'Au-d'ici vaut bien l'Au-delà, la voie initiatique du Passage de la mort à la Vie consciente*, Samsarah International inc., 1996.

COELHO, Paulo, *L'alchimiste*, Éditions Anne Carrière, Paris, 1994, pour la traduction française.

COELHO, Paulo, *Sur le bord de la rivière Piedra je me suis assise et j'ai pleuré*, Éditions Anne Carrière, Paris, 1995, pour la traduction française.

MARCINIAK, Barbara, *Messagers de l'aube*, Ariane Publications et distribution, Châteauguay, 1995, pour l'édition française.

BRADSHAW, John, *S'affranchir de la honte : libérer l'enfant en soi*, 1993, Le Jour, pour la traduction française.

WOLINSKY, Stephen, *Ni ange ni démon : le double visage de l'enfant intérieur*, 1995, Le Jour, pour la traduction française.

REDFIELD, James, *La prophétie des Andes*, Paris, 1994, Éditions Robert Laffont, pour la traduction française.

REDFIELD, James, *La dixième révélation de la prophétie des Andes*, Paris, 1996, Éditions Robert Laffont, pour la traduction française.

BIOGRAPHIE

Sylvie Petitpas est diplômée de l'Université Laval à Québec en littérature et linguistique. Elle a d'abord travaillé cinq ans dans le domaine de la linguistique pour se diriger ensuite vers les communications, champ d'action dans lequel elle est active depuis une quinzaine d'années.

En 1989, elle entreprend une thérapie qui va changer le cours de sa vie. C'est un processus irréversible de guérison qui s'installe et qui l'amène à se dévoiler les faces cachées de sa personnalité et à entrer en contact avec son être profond.

Par la suite, elle se passionne pour différentes approches psycho-corporelles et techniques de respiration qui l'aident à se connaître davantage et à se connecter à des plans plus subtils.

La rencontre de son âme soeur d'évolution en 1993 est déterminante dans sa vie. Elle provoque un éveil puissant sur le plan spirituel et l'amène à faire différentes formations en guérison. Elle travaille maintenant comme thérapeute tout en poursuivant à temps partiel son travail en communication. Elle souhaite répandre l'amour et la paix sur son chemin avec tous les outils dont elle dispose.